VOLTEI

Francisco Cândido Xavier

VOLTEI

Pelo Espírito
Irmão Jacob

FEB

Copyright © 1949 *by*
FEDERAÇÃO ESPÍRITA BRASILEIRA – FEB

28ª edição – 23ª impressão – 3,1 mil exemplares – 10/2024

ISBN 978-85-7328-580-2

Todos os direitos reservados. Nenhuma parte desta publicação pode ser reproduzida, armazenada ou transmitida, total ou parcialmente, por quaisquer métodos ou processos, sem autorização do detentor do *copyright*.

FEDERAÇÃO ESPÍRITA BRASILEIRA – FEB
SGAN 603 – Conjunto F – Avenida L2 Norte
70830-106 – Brasília (DF) – Brasil
www.febeditora.com.br
editorial@febnet.org.br
+55 61 2101 6161

MISTO
Papel | Apoiando o manejo florestal responsável
FSC® C112836

Pedidos de livros à FEB
Comercial
Tel.: (61) 2101 6161 – comercial@febnet.org.br

Adquirindo esta obra, você está colaborando com as ações de assistência e promoção social da FEB e com o Movimento Espírita na divulgação do Evangelho de Jesus à luz do Espiritismo.

Dados Internacionais de Catalogação na Publicação (CIP)
(Federação Espírita Brasileira – Biblioteca de Obras Raras)

J15v   Jacob, Irmão (Espírito)

         Voltei / pelo Espírito Irmão Jacob; [psicografado por] Francisco Cândido Xavier – 28. ed. – 23 imp. – Brasília: FEB, 2024.
         184 p.; 21 cm

         Inclui índice geral e notas da editora.

         ISBN 978-85-7328-580-2

         1. Espiritismo. 2. Obras psicografadas. I. Xavier, Francisco Cândido, 1910–2002. II. Federação Espírita Brasileira. III. Título.

                                        CDD 133.93
                                        CDU 133.7
                                        CDE 80.02.00

Sumário

A luta continua 9

1 De volta 12
   Dificuldades no intercâmbio 12
   Ponderações necessárias 15
   Primeiras visitas 15
   Tentativa e aprendizado 17

2 À frente da morte 20
   Preparativos 21
   Modificação 22
   No grande desprendimento 24
   Minha filha! 26

3 Em pleno transe 28
   O Salmo 23 28
   Recebendo socorro 29
   Em posição difícil 31
   Entre amigos espirituais 33

4 Vida nova 36
   Repouso breve 36
   Impressões diferentes 38
   Surpreendido 39
   De retorno a casa 41

5 **Despedidas** **44**
   Atenções perturbadoras 44
   Desligado enfim 46
   Em dificuldades 47
   Ante a necrópole 50

6 **A passagem** **52**
   Na expectativa inquietante 53
   Entre companheiros 54
   O aviso de Bezerra 56
   A partida 58

7 **Incidente em viagem** **60**
   Atravessando sombria região 61
   Nova advertência 63
   A ponte iluminada 64
   Em oração 66

8 **A chegada** **67**
   Na paisagem diferente 68
   Reencontro emocionante 69
   Velhos amigos 70
   Em repouso 72

9 **Esclarecimentos** **74**
   Reanimado 75
   O repouso além da morte 76
   Recebendo explicações 77
   O problema do esquecimento 79

10 **Nova moradia espiritual** **81**
   Comentários fraternos 82
   Na intimidade do lar 83

O parque de repouso 85
Reencontrando a mim mesmo 86

11 A luta prossegue **88**
Organização educativa 88
Ambiente novo 91
O magnífico santuário 92
Fenômenos da sintonia espiritual 93

12 Entre companheiros **96**
Visitas fraternas 97
Opinião autorizada 98
Informações da luta espiritual 99
Noite divina 101

13 Revendo círculos de trabalho **103**
Observações na crosta 104
Cortando a via pública 105
Aula de preparação espiritual 107
Nos serviços de doutrinação 108

14 Excursão confortadora **111**
Amparo filial 112
Viagem feliz 113
Visita significativa 115
A palavra de um grande benfeitor 116

15 No templo **119**
Em preparo 120
Em pleno santuário 120
Nova família de serviço 122
Momentos divinos 124

16 A palavra do companheiro **126**
   O julgamento em nós mesmos 127
   Ante as bênçãos do serviço 128
   As esquecidas virtudes da iluminação interior 130
   Ao fim da reunião 132

17 Na escola de iluminação **134**
   Instituição renovadora 135
   Informações úteis 136
   Em aprendizado 138
   Conceitos de uma cartilha preparatória 139

18 Ensinamento inesperado **142**
   Experimentação 143
   Ante um espírito perseguidor 144
   Diálogo surpreendente 146
   Apontamento salutar 149

19 A surpresa sublime **152**
   Reajustamento 153
   Vivendo as lições 154
   Novo despertar 157
   Sábio aviso 158

20 Retorno à tarefa **161**
   Conselho fraterno 162
   Ante os serviços novos 164
   Assembleia de fraternidade 166
   Recomeço 168

Notas da Editora **169**

Índice geral **171**

A luta continua

Enquanto no corpo, não formulamos a ideia exata do que seja a realidade, além da morte. Ainda mesmo quando o Espiritismo nos ajuda a pensar seriamente no assunto, debalde tentaremos calcular relativamente ao futuro, depois do sepulcro.

Os quadros sublimes ou terríveis no plano externo correspondem, de alguma sorte, à nossa expectativa; contudo, os fenômenos morais, dentro de nós, são sempre fortes e inesperados.

Antes da passagem, tudo me parecia infinitamente simples! Não passaria a morte de mera libertação do Espírito e mais nada. Seguiria nossa alma para esferas de julgamento, de onde voltaria a reencarnar, caso não se transferisse aos mundos felizes.

Compreendo hoje que aceitar esta fórmula seria o mesmo que menoscabar a existência humana, declarando-se que o homem apenas renascerá na Terra, respirará entre as criaturas e, em seguida, se libertará do corpo de baixa condensação fluídica. Quantos conflitos, porém, entre o aparecimento e a desagregação do veículo carnal? Quantas lições entre a infância e o declínio das forças físicas?

Reconheço, presentemente, que as dificuldades não são menores para a alma liberta dos mais pesados impedimentos do plano material. Entre o ato de perder a carcaça de ossos e a iniciativa de reencarnação ou de elevação, temos o tempo, e o conteúdo desse tempo reside em nós mesmos. Quantos óbices a vencer, quantos enigmas a solucionar?

Acreditei que o fim das limitações corporais trouxesse inalterável paz ao coração, mas não é bem assim.

No fundo, em nossas organizações religiosas, somos uma espécie de combatentes prontos a batalhar à distância de nossa moradia e, quando nos julgamos de posse da vitória final, tornamos ao círculo doméstico para enfrentar, individualmente, a mesma guerra, dentro de casa. Vestimos a roupa de carne, a fim de lutar e aprender e, se muitas vezes sorvemos o desencanto da derrota, em muitas ocasiões nos sentimos triunfadores. Somos, então, filhos da turba distraída, companheiros de mil companheiros, cooperadores de mil cooperadores.

Chega, no entanto, o momento em que a morte nos reconduz à intimidade do lar interior. E se não houve de nossa parte a preocupação de construir, aí dentro, um santuário para as determinações divinas, quantos dias gastamos na limpeza, no reajustamento e na iluminação?

Oh! meus amigos do Espiritismo, que amamos tanto!

É para vocês — membros da grande família que tanto desejei servir — que grafei estas páginas, sem a presunção de convencer! Não se acreditem quitados com a Lei, por haverem atendido a pequeninos deveres de solidariedade humana, nem se suponham habilitados ao paraíso, por receberem a manifesta proteção de um amigo espiritual! Ajudem a si mesmos, no desempenho das obrigações evangélicas! Espiritismo não é somente a graça recebida, é também a necessidade de nos espiritualizarmos para as esferas superiores.

Falo-lhes hoje com experiência mais dilatada.

Depois de muitos anos nas lides da Doutrina, estou recompondo a aprendizagem, a fim de não ser o companheiro inadequado ou o servo inútil. Guardem a certeza de que o Evangelho de nosso Senhor Jesus Cristo não é apenas um conjunto brilhante de ensinamentos sublimes para ser comentado em nossas doutrinações — é o Código da Sabedoria Celestial, cujos dispositivos não podemos confundir.

Agradeço, sensibilizado, a colaboração de Emmanuel e de André Luiz, nos registros humildes de meu refazimento espiritual, nestas páginas que endereço aos irmãos de ideal e serviço.

E pedindo a Jesus nos fortaleça a todos, no trabalho a que fomos conduzidos, de modo a estendermos, além de nós, as bênçãos que nos felicitam, rogo também ajuda para mim mesmo, a fim de que a Luz divina me esclareça e auxilie, dentro do novo caminho de trabalho e elevação, porque, se a experiência carnal amadurece e passa, a vida prossegue e a luta continua.

Irmão Jacob
Pedro Leopoldo (MG), 19 de fevereiro de 1948.

1
De volta

Há muitas semanas guardo a permissão de escrever-lhes, relacionando o noticiário do velho companheiro, já no "outro mundo".

Aliás, isto não é novidade para vocês, nem para mim.

Quando se me esvaía a resistência orgânica, formei o projeto de endereçar-lhes um correio de amigo, logo que a morte me arrebatasse.

O Espiritismo fora para mim não só simples crença religiosa. Tornara-se o clima constante em que minha alma respirava, constituía elemento integrante de meu próprio ser. Daí o entusiasmo vibrante com que me entregava aos serviços da doutrinação e a certeza com que esperava o contentamento de fazer-me sentir aos irmãos de ideal, após a desencarnação.

1.1 Dificuldades no intercâmbio

Mas o serviço não é tão fácil quanto parece à primeira vista. Podemos certamente visitar amigos e influenciá-los;

todavia, para isso, copiamos o esforço dos profissionais da telepatia. Emitimos o pensamento, gastando a potência mental em dose alta e, se a pessoa visada se mostra sensível, à maneira do rádio que se liga à emissora, então é possível transmitir-lhe ideias com relativa facilidade. Por vezes, a deficiência do receptor, aliada às múltiplas ondas que o cercam, impede a consumação de nossos propósitos. Se o instrumento de intercâmbio permanece absorto nas preocupações da luta comum, é difícil estabelecer a preponderância de nossos desejos.

A mente humana atrai ondas de força, que variam de acordo com as emissões que lhe caracterizam as atividades. No aparelho mediúnico, esse fenômeno é mais vivo. Pela sensibilidade que lhe marca as faculdades registradoras, o médium projeta energias em busca do nosso campo de ação e recebe-as de nossa esfera com intensidade indescritível.

Calculem, pois, os obstáculos naturais que nos cerceiam as intenções. Se não há combinação fluídico-magnética entre o Espírito comunicante e o recipiente humano, realizar-se-á nosso intento apenas em sentido parcial.

É quase impossível impormos nossa individualidade completa.

Ainda mesmo em se tratando da materialização, o visitante do "outro mundo" depende das organizações que o acolhem.

Se o médium relaxa a obrigação de manter o equilíbrio fisiopsíquico e se os companheiros que lhe integram o grupo de trabalho vivem estonteados, sem o entendimento preciso dos deveres que lhes competem, torna-se impraticável o aproveitamento dos recursos que se nos oferecem para o bem.

Venho recebendo agora preciosas lições quanto a isto, porque cheguei à leviandade de prometer a mim mesmo que prosseguiria, depois do sepulcro, a corresponder-me regularmente com os leitores de minhas páginas doutrinárias.

Considerava a escrita e a incorporação mediúnicas ocorrências triviais do nosso aprendizado; no entanto, vim de reconhecer, neste plano em que hoje me encontro, a desatenção com que assinalamos semelhantes dádivas. Esses fatos amplamente multiplicados, em nossos agrupamentos, traduzem imenso trabalho dos Espíritos protetores, com reduzida compreensão por parte dos que a eles assistem.

Passei a observar o porquê de muitas promessas de amigos que se não realizaram.

Companheiros diversos haviam partido, antes de mim, convencidos de que poderiam voltar, quando quisessem, trazendo informações da nova esfera e, embora lhes aguardasse a palavra esclarecedora, através de reuniões respeitáveis, a solução parecia adiada indefinidamente.

O homem encarnado é tido em nossos círculos por arrendatário das possibilidades terrestres e, de modo algum, podemos absorver-lhe a autoridade e a direção da experiência física, tanto quanto não lhe será possível determinar na zona de trabalho que nos é própria.

Em vista disso, por mais que desejemos, somos obrigados a depender de vocês em nossas comunicações e interferências.

Os amigos da vida superior necessitam da cooperação elevada para se manifestarem nas obras de amor e fé, na mesma proporção em que as entidades votadas ao mal reclamam concurso de baixa espécie das criaturas perversas ou ignorantes, no cenário carnal. Verifica-se a mesma disposição em nossa zona de serviço. Vocês conseguirão isto ou aquilo, em nosso ambiente, dependendo, porém, das entidades que puderem mobilizar.

1.2 Ponderações necessárias

Retomando a mim mesmo, após desvencilhar-me do corpo grosseiro, a preocupação de voltar ao reino dos amigos era o meu anseio de cada minuto. Habituara-me, na existência última, fértil de trabalho intensamente vivido, a concretizar os menores desejos, em nos referindo à luta exterior.

O homem prático que se mantém no corpo terrestre por mais de cinquenta anos acostuma-se a ser invariavelmente obedecido.

Isso cria enormes prejuízos para ele, por enclausurar-se instintivamente em roda viciosa de preconceitos nocivos que se lhe cristalizam, vagarosamente, na organização mental. Os melindres passam a torturá-lo. A conveniência é interpretada por desrespeito, a prudência por ingratidão.

Quase me considerei ofendido quando os benfeitores espirituais me cortaram a probabilidade do retorno apressado.

Afinal, pensava de mim para comigo, o que pretendia não era, de maneira nenhuma, a admiração alheia, nem tencionava aproveitar o ensejo para a propaganda de meu nome. Interessava-me, sim, a prova da sobrevivência. Para tanto, se me fosse possível, tocaria um clarim mais alto que uma sirene festiva.

Amigos delicados, porém, fizeram-me saber que o ruído, no âmbito da espiritualidade, é tão prejudicial quanto o barulho intempestivo na via pública e, depois de ouvir longa série de ponderações, a me rearticularem os propósitos desordenados, entendi, graças a Deus, que minhas investidas se filiavam a pura ingenuidade.

1.3 Primeiras visitas

As primeiras visitas que efetuei, junto aos núcleos doutrinários, verificaram-se justamente no Rio. Minha atual situação, contudo, era muitíssimo diferente. Quando no corpo, identificava somente reduzida região de trabalho. Acompanhado de amigos que me conduziam solícitos, reparava agora um mundo novo, de aspecto intraduzível.

As casas espiritistas, em função de estudo e socorro, eram verdadeiras colmeias de entidades desencarnadas. Algumas, em serviço de benemerência evangélica; outras, e em número imenso, vinham à cata de alívio e esclarecimento, a lembrar-nos multidões de acidentados às portas dos hospitais de emergência.

O volume das obrigações agigantou-se aos meus olhos.

Compreendi, então, de quanta abnegação temos necessidade, a fim de perseverarmos no bem, até ao fim da luta, segundo os ensinamentos de Jesus.

Minha primeira impressão foi negativa. No fundo, cheguei a admitir, por alguns instantes, a incapacidade da colaboração humana, ante a imensidão do serviço; todavia, a palavra de companheiros experientes reergueu-me o bom ânimo.

Sementes minúsculas produzem toneladas de grãos que abastecem o mundo; assim também, os germens da boa vontade improvisam atividades heroicas na edificação humana.

Essa conclusão tranquilizou-me e tive a alegria de fazer-me notado em vários centros da Doutrina, valendo-me da cooperação de alguns médiuns que me interpretaram a personalidade. As oportunidades, porém, não me ofereciam recursos ao noticiário mais completo. Comecei a guerrear meu individualismo gritante e, examinando a respeitabilidade dos interesses alheios, não me senti suficientemente encorajado a interferências que redundassem no prejuízo do bem geral.

1.4 Tentativa e aprendizado

Depois de variadas experiências, vim a Pedro Leopoldo pela primeira vez, após a libertação.

Como se me afigurou diferente o grupo que eu visitara, em agosto de 1937, em companhia do meu prezado Watson![1]

A casa humilde estava repleta de gente desencarnada.

Os companheiros, ao redor da mesa, eram poucos. Não excedia de vinte o número de pessoas no recinto. As paredes como que se desmaterializavam, dando lugar a vasto ajuntamento de almas necessitadas, que o orientador da casa, com a colaboração de muitos trabalhadores, procurava socorrer com a palavra evangélica.

Entrei, ladeando três irmãos, recebendo abraços acolhedores.

Notando os cuidados do dirigente, prevendo as particularidades da reunião, recordei os Espíritos controladores a que se referem comumente nossos companheiros da Inglaterra.

Estávamos perante equilibrado diretor espiritual.

Todas as experiências e realizações da noite permaneciam programadas.

Incontáveis fios de substância escura partiam, como riscos móveis, das entidades perturbadas e sofredoras, tentando atingir os componentes da pequena assembleia de encarnados, mas, sob a supervisão do mentor do grupo, fez-se belo traço de luz em torno do quadrado a que vocês se acolhiam, traço esse que atraía as emanações de plúmbea cor, extinguindo-as.

Explicou-me um amigo que as pessoas angustiadas, sem o corpo físico, projetam escuros apelos, filhos da tristeza e da

---

[1] Em agosto de 1937, o autor esteve pessoalmente em Pedro Leopoldo, acompanhado de um amigo.

revolta, nas casas de fraternidade cristã em que se improvisam tarefas de auxílio.

Enquanto vocês oravam e atendiam a solicitações entre os dois mundos, observei que trabalhadores espirituais extraíam de alguns elementos da reunião grande cópia de energias fluídicas, aproveitando-as na materialização de benefícios para os desencarnados em condições dolorosas. Não pude analisar toda a extensão do serviço que aí se processava, mas esclareceu-me dedicado companheiro que em todas as sessões de fé religiosa, consagradas ao bem do próximo, os cooperadores dispostos a auxiliar com alegria são aproveitados pelos mensageiros dos planos superiores, que retiram deles os recursos magnéticos que Reichenbach batizou de "forças ódicas", convertendo-os em utilidades preciosas para as entidades dementes e suplicantes. Minha mente, contudo, interessava-se na aproximação com o médium, fixa na ideia de valer-se dele para contato menos ligeiro com o mundo que eu havia deixado.

Rompi as conveniências e pedi a colaboração do supervisor da casa, embora o respeito que a presença dele me inspirava. Não me recebeu o pedido com desagrado. Tocou-me os ombros, paternalmente, e acentuou, esquivando-se:

— Meu bom amigo, é justo esperar um pouco mais. Não temos aqui um serviço de mero registro. Convém ambientar a organização mediúnica. A sintonia espiritual exige trato mais demorado.

Lembrei-me, então, imperfeito e egoísta que ainda sou, de André Luiz. Ele não fora espiritista; no entanto, começara, de pronto, o noticiário do "outro mundo". O diretor, liberal e compreensivo, mergulhou em mim os olhos penetrantes, como se estivesse a ler as páginas mais íntimas de meu coração e, sem que eu enunciasse o que pensava, acrescentou, humilde:

— Não julgue que André Luiz haja alcançado a iniciação de improviso. Sofreu muito nas esferas purificadoras e frequentou-nos a tarefa durante setecentos dias consecutivos, afinando-se com a instrumentalidade. Além disto, o esforço dele é impessoal e reflete a cooperação indireta de muitos benfeitores nossos que respiram em esferas mais elevadas.

E passou a explicar-me as dificuldades, indicando os óbices que se antepunham à ligação e relacionando esclarecimentos científicos que não pude guardar de memória. Em seguida, prometeu que me auxiliaria no instante oportuno.

Realmente, estava desapontado, mas satisfeito.

Avizinhara-me dos amigos, incapaz de fazer-me percebido; entretanto, começava a entender, não somente os empecilhos naturais no intercâmbio entre ambas as esferas, mas também a necessidade do desprendimento e da renúncia na obra cristã que o Espiritismo, com Jesus, está realizando em favor do mundo.

2
À frente da morte

Todos nós, que estudamos o Espiritismo, consagrando-lhe as forças do coração, somos comumente assediados pela ideia da morte.

Como se opera a desencarnação? Que forças atuam no grande momento? De vez em quando, abordamos a experiência de pessoas respeitáveis e concluímos pela expectativa indagadora.

Por minha vez, lera descrições e teses preciosas, relativamente ao assunto, inclusive Bozzano e André Luiz. Desse último, recolhera informações que me sensibilizaram profundamente. Pouco antes de abrigar-me no leito de morte, meditara-lhe as narrativas acerca da desencarnação de alguns companheiros[2] e, perante os sintomas que me assaltavam, não tive qualquer dúvida. Aproximava-se o fim do corpo.

---

[2] Nota do autor espiritual: *Obreiros da vida eterna*.

2.1 Preparativos

Não obstante o valor com que passei a encarar a situação e apesar do velho hábito de convidar os amigos para o meu enterramento, em observações chistosas dos dias de bom humor, descansei o organismo extenuado, na posição horizontal, mesmo porque me era totalmente impossível agir de outro modo.

O irmão Andrade, Espírito benemérito dedicado à Medicina, com quem tive a alegria de colaborar alguns anos, recomendara absoluto repouso e tão insistente se fizera o conselho que fui obrigado a abandonar as últimas atividades doutrinárias.

O repouso físico, porém, agravava-me as preocupações mentais. O impedimento das mãos impunha-me verdadeira revolução íntima. No silêncio do quarto, os pensamentos como que se me evadiam do cérebro, postando-se ao meu lado a argumentarem comigo. Alguns em posição simpática, outros em atitude adversa.

— Velho Jacob — proclamavam no fundo —, você agora deixará as ilusões da carne. Viajará de regresso à realidade. Prepare-se. Que possui na bagagem? Não se esqueça de que a Justiça tudo vê, tudo ouve, tudo sabe.

Por vezes, interpunha recursos. A consciência compelia-me a retroceder aos problemas nos quais funcionara com desacerto. Todavia, buscava atenuantes às próprias faltas. Alegava incertezas e imperativos da vida.

Confesso, no entanto, que as incursões, dentro de mim mesmo, angustiavam-me o ser. Se a vigília se tornara menos agradável, o sono fizera-se-me doloroso. Não chegava a penetrar a região dos sonhos. Dispondo-me a dormir, supunha ingressar num modo inabitual de ser, em que a verdade se me patenteava com mais clareza.

Via-me noutra paisagem, noutro clima, ante conhecidos e desconhecidos, qual se estivera perante enorme multidão de pessoas desejosas de se fazerem compreendidas por mim.

De outras ocasiões, minha memória recuava no tempo. Revia situações alegres e tristes, confortadoras e embaraçosas, de há muito extintas. Novamente no corpo exausto, sentia extremas dificuldades para reter as imagens e descrevê-las. O cérebro acusava vida intensa, mas, no serviço de comunicação com o exterior, sentia-me esgotado, tal qual um limão espremido.

A fé preparava-me o Espírito, ante a grande transição; todavia, os receios avultavam, e as preocupações cresciam sempre.

2.2 Modificação

O desvanecimento da força física determinava fenômeno singular em minha alma.

Surpreendia-me enternecido e sentimentalista. Acostumara-me a tratar com o mundo dentro do maior senso prático. Estimava a pregação da caridade, convicto, porém, de que a energia seca era indispensável nas relações humanas.

Muita vez, na intimidade de companheiros encarnados e entidades desencarnadas, sentira-me ríspido, contundente.

Fazia frequentemente o possível por não desmerecer a confiança dos que me estimavam, entretanto, nem sempre sabia ser doce na extensão da personalidade. Semelhante traço individual, que as lutas ásperas da experiência humana me impuseram, representava motivo de não poucos dissabores para mim, porque, no íntimo, aspirava a servir à fraternidade legítima, em nome do Cordeiro de Deus.

Prostrado agora, inesperada sensibilidade passou a dirigir-me.

A renovação de caminhos obrigava-me a esquecer negócios e interesses terrenos.

Não me era mais possível governar o leme do barco material, e esse impositivo, ao que me pareceu, *proporcionava-me acesso a mim mesmo.*

Afetava-me a necessidade de ternura e compreensão, como se naquelas horas estivesse ingressando na idade juvenil.

O homem da *ativa humana*, obrigado a defender-se e a preservar o bem dos que lhe eram caros, através de mil modos diferentes, estava passando...

Quanto a isto, a morte gradual era uma realidade.

Redescobria-me, afinal.

Não era eu mais que um homem comum, reclamando socorro e carinho. Trazia o coração opresso por aflições indizíveis. Se a dispneia me roubava a tranquilidade, os temores povoavam-me o Espírito de tristezas e sombras. Jamais experimentara antes, tamanha sensação de exílio e deslocamento.

Na Terra, estava cercado de benditas dedicações, por parte das filhas queridas e dos amigos abnegados e, a rigor, não me seduzia o regresso à juventude do corpo. Seriam saudades do Além o fator determinante da inquietude que me martirizava? Também não. Reconhecia os meus títulos de homem imperfeito que, de modo algum, deveria sonhar com o paraíso. Esperava-me, naturalmente, laborioso futuro em qualquer parte.

No entanto, ansiedades dolorosas pesavam-me na alma abatida. Eu, que fazia guerra às lágrimas, reconhecia-lhes, agora, o sumo poder; represavam-se-me nos olhos, com frequência, quando, a sós, me entregava às longas meditações. Orava, fervoroso, mas, ao correr da prece solitária, sentimentalizava-me qual criança.

Entrara nas vésperas da total exoneração, quanto aos deveres terrestres. Via-me prestes a deixar o ninho planetário que me abrigara por dilatados anos...

A que porto demandaria?!...

2.3 No grande desprendimento

Recordando as experiências do investigador De Rochas, identificava-me em singulares processos de desdobramento.

Recluso, na impossibilidade de receber os amigos para conversações e entendimentos mais demorados, em várias ocasiões me vi fora do corpo exausto, buscando aproximar-me deles.

Nas últimas trinta horas, reconheci-me em posição mais estranha. Tive a ideia de que *dois corações* me batiam no peito. Um deles, o de carne, em ritmo descompassado, quase a parar, como relógio sob indefinível perturbação, e o outro pulsava, mais equilibrado, mais profundo...

A visão comum alterava-se. Em determinados instantes, a luz invadia-me em clarões subitâneos, mas, por minutos de prolongada duração, cercava-me densa neblina.

O conforto da câmara de oxigênio não me subtraía as sensações de estranheza.

Observei que frio intenso veio ferir-me as extremidades. Não seria a integral extinção da vida corpórea?

Procurei acalmar-me, orar intimamente e esperar. Após sincera rogativa a Jesus para que me não desamparasse, comecei a divisar à esquerda a formação de um depósito de substância prateada, semelhante a gaze tenuíssima...

Não poderia dizer se era dia ou se era noite em torno de mim, tal o nevoeiro em que me sentia mergulhado, quando notei que duas mãos caridosas me submetiam a passes de grande corrente. À medida que se desdobravam, de alto a baixo, detendo-se com particularidade no tórax, diminuíam-se-me as impressões de angústia. Lembrei, com força, o irmão

Andrade, atribuindo-lhe o benefício, e implorei-lhe mentalmente se fizesse ouvir, ajudando-me.

Qual se estivesse sofrendo melindrosa intervenção cirúrgica, sob máscara pesada, ouvi alguém a confortar-me: "Não se mexa! Silêncio! Silêncio!...".

Concluí que o término da resistência orgânica era questão de minutos.

Não se estendeu o alívio, por muito tempo.

Passei a registrar sensações de esmagamento no peito.

As mãos do passista espiritual concentravam-se-me agora no cérebro. Demoraram-se, quase duas horas, sobre os contornos da cabeça. Suave sensação de bem-estar voltou a dominar-me, quando experimentei abalo indescritível na parte posterior do crânio. Não era uma pancada. Semelhava-se a um choque elétrico, de vastas proporções, no íntimo da substância cerebral. Aquelas mãos amorosas, por certo, haviam desfeito algum laço forte que me retinha ao corpo de carne...

Senti-me, no mesmo instante, subjugado por energias devastadoras.

A que comparar o fenômeno?

A imagem mais aproximada é a de uma represa, cujas comportas fossem arrancadas repentinamente.

Vi-me diante de tudo o que eu havia sonhado, arquitetado e realizado na vida. Insignificantes ideias que emitira, tanto quanto meus atos mínimos, desfilavam, absolutamente precisos, ante meus olhos aflitos, como se me fossem revelados de roldão, por estranho poder, numa câmara ultrarrápida instalada dentro de mim. Transformara-se-me o pensamento num filme cinematográfico misteriosa e inopinadamente desenrolado, a desdobrar-se, com espantosa elasticidade, para seu criador assombrado, que era eu mesmo.

No trabalho comparativo a que era constrangido pelas circunstâncias, tive a ideia de que, até aquele momento, havia sido o construtor de um lago cujas águas crescentes se constituíam de meus pensamentos, palavras e atos, e a cuja tona minha alma conduzia a seu talante o barco do desejo; agora que as águas se transportavam comigo de uma região para outra, via-me no fundo, cercado de minhas próprias criações.

Não tenho, por enquanto, outro recurso verbal para definir a situação. Recordei o livro de Bozzano,[3] em que ele analisa o comportamento dos moribundos; entretanto, sou forçado a asseverar que todas as narrações que possuímos, nesse sentido, comentam palidamente a realidade.

2.4 Minha filha!

Observando-me relegado às próprias obras (por que não confessar?), senti-me sozinho e amedrontei-me. Esforcei-me por gritar, implorando socorro, porém os músculos não mais me obedeceram.

Busquei abrigar-me na prece, mas o poder de coordenação escapava-me.

Não conseguiria precisar se eu era um homem a morrer ou um náufrago a debater-se em substância desconhecida, sob extenso nevoeiro.

Naquele intraduzível conflito, lembrei mais insistentemente o dever de orar nas circunstâncias mais duras... Rememorei a passagem evangélica em que Jesus acalma a tempestade, perante os companheiros espavoridos, rogando ao Céu salvação e piedade...

Forças de auxílio dos nossos protetores espirituais, irmanadas à minha confiança, sustaram as perturbações. Braços

---

[3] Nota do autor espiritual: *A crise da morte*.

vigorosos, não obstante invisíveis para mim, como que me reajustavam no leito. Aflição asfixiante, contudo, oprimia-me o íntimo. Ansiava por libertar-me. Chorava conturbado, jungido ao corpo desfalecente, quando tênue luz se fez perceptível ao meu olhar. Em meio do suor copioso, lobriguei minha filha Marta a estender-me os braços. Estava linda como nunca. Intensa alegria transbordava-lhe do semblante calmo. Avançou, carinhosa, enlaçou-me o busto e falou-me, terna, aos ouvidos:

— Agora, paizinho, é necessário descansar.

Tentei movimentar os braços de modo a retribuir-lhe o gesto de amor, mas não pude erguê-los. Pareciam guardados sob uma tonelada de chumbo.

O pranto de júbilo e reconhecimento, porém, correu-me abundante dos olhos. Quem era Marta, naquela hora, para mim? Minha filha ou minha mãe? Difícil responder. Sabia apenas que a presença dela representava o mundo diferente, em nova revelação. E entreguei-me, confiado, aos seus carinhos, experimentando felicidade impossível de descrever.

3
Em pleno transe

Amparado a Marta, intentei proclamar o júbilo que me dominava, fazendo-me ouvido em alta voz. Todavia, os membros jaziam inteiriçados e os órgãos da fala em descontrole.

Não tinha perfeito conhecimento da posição em que os familiares se moviam. Meus olhos demoravam-se perturbados. Sensação de esmagamento percorria-me todo; no entanto, que pedir além daquela infinita ventura que o devotamento filial me proporcionava?

Tentei alinhar ideias a fim de agradecer a intervenção da filha querida; contudo, não consegui.

Percebendo-me as dificuldades, Marta afagou-me a fronte e falou, meiga:

— Os nossos benfeitores desatam os últimos elos. Enquanto isto, façamos nossa oração.

3.1 O Salmo 23

Não me seria possível, naqueles minutos, enfileirar pensamentos e muito menos enunciar qualquer frase. Tinha a respiração opressa, como nos derradeiros dias de luta no corpo físico. Com alegria, no entanto, vi a filha elevar-se ao Alto, repetindo em voz pausada e comovedora as expressões do Salmo 23, ampliando-lhes o sentido:

※

O Senhor é nosso Pastor; nada nos faltará. Deitar-nos faz em refúgios de esperança, guia-nos suavemente às águas do repouso.
"Refrigera-nos a alma, conduz-nos pelas veredas da justiça, na qual confiamos por amor ao seu nome.
"Ainda que andemos pelo vale da sombra e da morte, não temeremos mal algum, porque Ele está conosco; a sua vontade e a sua vigilância nos consolam.
"Prepara-nos mesa farta de bênçãos, ainda mesmo na presença dos inimigos que trazemos dentro de nós, unge-nos a cabeça de bom ânimo e o nosso coração transborda de júbilo.
"Certamente que a bondade e a compaixão do Senhor nos seguirão em todos os dias da vida e habitaremos na sua Casa Divina, por longo tempo. Assim seja."

※

À medida que sua voz pronunciava o texto antigo, multiplicando-me as lágrimas abundantes e espontâneas, dores cruéis me assaltavam a região torácica.

Vim saber, mais tarde, que aqueles sofrimentos provinham da extração de resíduos fluídicos que ainda me enlaçavam à zona do coração.

3.2 Recebendo socorro

Finda a prece, que ouvi sob indizível angústia, percebendo a manifesta intenção da filha que assim procedia buscando isolar-me o pensamento da intervenção a que me achava submetido, notei que as dores se faziam menos rudes. Ela permaneceu amorosamente inclinada para mim, por mais de uma hora, em silêncio.

Temia falar, provocando fenômenos desagradáveis, e, ao que me pareceu, Marta me partilhava os receios.

Um momento chegou, entretanto, no qual a respiração se fez equilibrada e verifiquei que o coração me batia, uniforme e regular, no peito.

Através do olhar, supliquei à filha, sem palavras, reforçasse o socorro que minha situação estava exigindo.

Vi-a movimentar cuidadosamente o braço direito e, em seguida, passar a destra repetidamente sobre a minha cabeça exausta. Reparei que me aplicava forças espirituais que eu ainda não podia compreender.

Mais alguns minutos decorridos e percebi que o poder de orar me felicitava de novo. Encadeava os pensamentos sem maiores dificuldades e, na convicção de que poderia tentar a prece com êxito, improvisei sincera súplica.

O trabalho foi bem-sucedido. A harmonia geral começou a refazer-me, apesar da fraqueza extrema que me possuía.

Notei que, de Marta para mim, vinham fagulhas minúsculas de luz, em porção imensa, a envolverem-me todo, ao passo que me via agora cercado de atmosfera fracamente iluminada em tom de laranja.

A respiração processava-se normalmente. A carência de ar desaparecera. Meus pulmões revelavam-se robustecidos, como por encanto, e tanto bem me faziam as inalações prolongadas de oxigênio que tive a impressão de haurir alimento invisível, do ar leve e puro.

Restabelecendo-se-me a força orgânica, fortificava-se a potência visual.

A claridade alaranjada que me revestia casava-se à luz comum.

A melhora experimentada, porém, não ia ao ponto de restaurar-me a disposição de falar. O abatimento era ainda insuperável.

Assombrado, vi-me em duplicata.

Eu, que tanta vez exortara os desencarnados a contemplarem os despojos de que já se haviam desvencilhado, fixei meu corpo a enrijecer-se, num misto de espanto e amargura.

Fitei minha filha, com suplicante humildade, imitando o gesto da criança medrosa. Encontrava-me prostrado, vencido. Não me assistia qualquer razão de revolta; contudo, se possível, desejaria afastar-me. A contemplação do corpo imóvel, não obstante aguçar-me o propósito de observar e aprender, era-me aflitiva. O cadáver perturbava-me com as sugestões da morte, impunha reflexões desagradáveis e amargas. À distância dele, provavelmente a ideia de vida e eternidade prevaleceria dentro de mim.

Marta entendeu o que eu não podia dizer. Fez-se mais terna e explicou-me:

— Tenha calma, papai. Os laços não se desfizeram totalmente. Precisamos paciência por mais algumas horas.

3.3 Em posição difícil

Alongando o raio de meu olhar, verifiquei a existência de prateado fio, ligando-me o novo organismo à cabeça imobilizada.

Torturante emoção apossou-se de mim.

Eu seria o cadáver ou o cadáver seria eu? Por intermédio de que boca pretendia falar? Da que se fechara no corpo ou da que me serviria agora? Através de que ouvidos assinalava as palavras de Marta?

Intentando ver pelos olhos mortos, senti-me atirado novamente a espesso nevoeiro.

Assustado, soergui-me mentalmente.

Aquele grilhão tênue a unir-me com os despojos era bem um fio de forças vivas, jungindo-me à matéria densa, semelhando-se ao cordão umbilical que liga o nascituro ao seio feminino. Fitando, então, o corpo repousado e inerte, simbolizando templo materno ao meu ser que ressurgia na Espiritualidade, recordei, certamente inspirado pelos amigos que ali me socorriam, a enormidade dos meus débitos para com a carcaça que me retivera no planeta por extensos e abençoados anos. Devia-lhe a cooperação precioso amontoado de conhecimentos, cujo valor inestimável naquela hora reconhecia. Cabia-me vencer o mal-estar e a repugnância.

Tranquilizei-me. Comecei a considerar o corpo, mirrado e frio, como valioso companheiro do qual me afastaria em definitivo. Enquanto perdurou a nossa entrosagem, beneficiara-me ao contato da luta humana. Junto dele, recolhera bênçãos inextinguíveis. Sem ele, por que processos continuaria o aprendizado? Fixei-o, enternecido, mas, aumentando o meu interesse pela organização de carne, imóvel, incapaz de separar emoções e selecioná-las, afundei-me nas impressões de angústia. Minhas energias pareciam retransferir-se, aceleradamente, ao envoltório abandonado. Insuportável constrangimento martirizava-me. Percebi os conflitos da carne desgovernada. A diferença apresentada pelos órgãos impunha-me terrível desagrado.

Registrando-me as dificuldades, Marta informou bondosamente:

— Lembre-se, paizinho, da necessidade de concentração na prece. Não divague. Esqueça a experiência que terminou, sustentando a mente em oração.

A custo, retornei a mim mesmo e me mantive no recolhimento necessário.

Meu objetivo, agora, era *não pensar*.

Se avançava no futuro, estranhas vertigens me assediavam; se me demorava analisando o veículo físico, vigoroso e inesperado impulso me reconduzia para ele.

Que fazer de mim, reduzido a minúsculo ponto sensível entre duas esferas?

Aquietei-me e orei.

3.4 Entre amigos espirituais

Rogando a Jesus me auxiliasse a encontrar o melhor caminho, observei que minha capacidade visual se dilatava. Curiosos fenômenos de óptica afetavam-me a retina hesitante. Alterara-se-me a noção de perspectiva. A imagem do ambiente parecia penetrar-me. Objetos e luzes permaneciam dentro de mim ou jaziam em derredor? Dentro de semelhante indecisão, divisei duas figuras ladeando a filha dedicada.

Centralizei quanto possível o propósito de ver, mais exatamente, e tive o esforço compensado.

Ambos os presentes se destacaram nítidos.

Que alegria me banhou o ser!

Num deles, identifiquei, sem obstáculos, o venerável Bezerra de Menezes e, no outro, adivinhei o benemérito irmão Andrade. Pelo sorriso de compreensão que me endereçaram, reconheci que os dois haviam notado a minha surpresa indescritível.

Todavia, meu júbilo do primeiro instante foi substituído pela timidez. Enquanto nos debatemos na lida material, quase nunca nos recordamos de que somos seguidos pelo testemunho do plano espiritual, nos mínimos atos da existência. Falamos, com referência aos Espíritos, com a desenvoltura das crianças que se reportam aos pais a propósito de insignificantes brinquedos. Senti-me repentinamente envergonhado.

Quantos sacrifícios exigira daqueles abnegados amigos?

Apesar do natural acanhamento que a presença deles me infligia, tudo fiz por levantar-me, de modo a recebê-los com a veneração que mereciam. Tentei, porém, debalde erguer-me.

Percebendo-me a intenção, abeiraram-se de mim.

Cumprimentaram-me com palavras confortadoras de boas-vindas.

Com gentileza, explicou-me Bezerra que o processo liberatório corria normal, que me não preocupasse com as delongas, porque a existência que eu desfrutara fora dilatada e ativa. Não era possível — disse, bondoso — efetuar a separação do organismo espiritual com mais rapidez. Esclareceu também que o ambiente doméstico estava impregnado de certa substância que classificou por "fluidos gravitantes", desfavorecendo-me a libertação.

Mais tarde, vim a perceber que os objetos de nosso uso pessoal emitem radiações que se casam às nossas ondas magnéticas, criando elementos de ligação entre eles e nós, reclamando-se muito desapego de nossa parte, a fim de que não nos prendam ou perturbem.

Após instruir-me, benévolo, recomendou-me Bezerra esquecesse o retraimento em que me refugiara, confiando-me a pensamentos mais elevados, de maneira a colaborar com ele para que me subtraísse ao decúbito dorsal.

Pus-me a refletir na infinita bondade de Jesus, enquanto o dedicado amigo me aplicava passes, projetando sobre mim, com as mãos dadivosas, abundantes jatos de luz.

Ao término da operação, acentuara-se-me a resistência.

A rigor, não pude levantar-me, nem falar. Ambos os benfeitores, porém, seguidos de Marta, que nos observava com visíveis mostras de contentamento, retiraram-me do leito, determinando que me amparasse a eles para uma jornada de repouso.

— É necessário sair de algum modo — acentuou Bezerra, em tom grave —, conduzi-lo-emos à praia. As virações marítimas serão portadoras de grande bem ao reajustamento geral.

Abracei-me aos devotados obreiros da caridade, com esforço, e, não obstante verificar que o derradeiro laço ainda me atava às vísceras em descontrole, afastei-me da zona doméstica, reparando que eu era por eles rapidamente conduzido à beira-mar.

4
Vida nova

A excursão, embora de alguns passos somente, apesar de realizada com o auxílio de energias alheias, agravou-me o abatimento. Contudo, não perdera o gosto de observar, tamanhas as surpresas que se sucediam.

Recordando a ansiedade com que sempre aguardara na Terra as descrições do momento da morte, por parte de companheiros que me haviam antecedido, buscava fixar todas as particularidades da situação, na esperança de transmitir notícias aos irmãos da retaguarda.

Aquele contato inesperado com a Natureza impunha-me, porém, singular renovação. Os remanescentes das dores físicas desapareciam. A ausência de certas impressões desagradáveis ampliava-me a apatia. Achava-me intensamente aliviado, conquanto mais fraco.

4.1 Repouso breve

Irresistível desejo de dormir assaltou-me.

Bezerra, Andrade e Marta eram benfeitores e expressavam a vida diversa em que eu penetraria doravante. Com certeza, guardariam mil informações preciosas que eu esperava, curioso e feliz, mas como vencer o sono a pesar-me no cérebro?

Extenuado, vacilante, notei que não envergava as mesmas peças que usava habitualmente no leito. Envolvia-me vasto roupão claro, de convalescente.

Tentei indagar; entretanto, a fraqueza dos órgãos vocais prosseguia sem variações. Era preciso aceitar os recursos quais se me ofereciam. Não adiantava qualquer interrogação. Indispensáveis a serenidade e a paciência.

Perante o mar, diferençava-se-me a posição orgânica. Aquelas bafagens de ar fresco, que eu recebia encantado, regeneravam-me as forças. Pareciam portadoras de alimento invisível. Inalando-as, permanecia, singularmente sustentado, como se houvera sorvido caldo substancioso.

Marta, agora sentada, oferecera-me o regaço acolhedor, acariciando-me a fronte.

Notei que o irmão Andrade comentava as virtudes do mar no reerguimento das energias do perispírito. Referia-se a casos repetidos de socorro a irmãos recém-desencarnados, conduzidos com êxito à frente das águas.

Desenvolvia o máximo esforço para registrar-lhe as impressões, quando o benemérito amigo me dirigiu a palavra, cuidadoso, aconselhando-me o sono pacífico e restaurador.

— Não deveria reagir contra o repouso — disse-me fraternal —, e acrescentou que não convinha sacrificar necessidades da alma à curiosidade, embora nobre. Teria tempo para observar e aprender muito e, pelo menos durante algumas horas, não poderia furtar-me ao descanso imprescindível.

Compreendi o alcance do conselho e obedeci. Entreguei-me sem resistência e perdi a noção de espaço e tempo no sono abençoado e reparador.

4.2 Impressões diferentes

Despertando, dia alto, não podia precisar o tempo curto em que repousara.

Continuava a filha ao meu lado, mas de ambos os benfeitores não havia sinal. Notificou-me Marta que se haviam ausentado, porém não tardariam. Confiaram-me a ela, enquanto me aquietara; contudo estariam junto de mim, em breves minutos.

Sentia-me outro homem. Movimentei os braços e ergui-me sem dificuldade. Tentei falar, e que alegria experimentei! Entendi-me com a filha querida, à vontade. Explicou-me que eu não havia repousado quanto seria de desejar e que voltaria ao descanso na primeira oportunidade. Indagou, em seguida, se me achava amedrontado, e, como lhe demonstrasse a firmeza de ânimo que me possuía, cientificou-me de que Bezerra, em breves minutos, cortaria os derradeiros laços que me retinham ainda, de certa forma, aos envoltórios carnais, consultando-me, ao mesmo tempo, se me não inspiraria temor assistir, de algum modo, ao enterramento dos meus despojos.

Respondi-lhe com o meu interesse. Tudo o que eu pudesse aprender de novo representaria enriquecimento de observação.

Em verdade, animavam-me outras disposições. Guardava a ideia de haver rejuvenescido. Toquei meu veículo novo. *Eu era o mesmo, dos pés à cabeça.* Coração e pulmões funcionavam regulares. Fascinava-me, porém, acima de tudo, o novo aspecto da paisagem. Casas, vegetação e o próprio oceano pareciam coroados de substância colorida. Que sugestões surpreendentes em torno! A claridade solar, em derredor, revelava maravilhosos cambiantes.

Informou-me Marta de que enquanto a nossa mente funciona, sob determinadas condições, vemos somente alguns aspectos do mundo; e porque eu interrogasse se todos os desencarnados se surpreendiam com as visões que me encantavam os olhos, respondeu negativamente. Muitos libertos da disciplina física — esclareceu — conservam tão fortes ligações com os interesses humanos que a visão não se lhes modifica, de pronto, e prosseguem vendo a Terra, nas mesmas expressões em que a deixaram.

Era prodigioso o quadro!

Senti forte impulso de prosternar-me, em sinal de reconhecimento à Majestade divina.

Tão grande leveza caracterizava agora o meu organismo que, contemplando, enlevado, as águas próximas, nelas adivinhei pesadíssimo elemento. Pensei concomitantemente que, se eu tentasse, talvez conseguisse caminhar sobre as ondas líquidas, aureoladas, ao meu olhar, de sublime coloração.

Registrando-me o ânimo, a querida filha mostrou-se satisfeita. Desde o primeiro momento de nosso reencontro, Marta revelava ansiedade de ver-me tranquilo e contente.

4.3 Surpreendido

Dispúnhamo-nos a deixar o abrigo a que nos refugiáramos, quando percebi que me encontrava em trajes impróprios. Arraigado à ideia de que seria visto por amigos encarnados, não ocultei um gesto de aborrecimento.

À distância do leito, aquele roupão alvo não deixava de ser escandaloso.

Marta que me seguia as reflexões, sorridente, vestia-se com apurado gosto.

Ia expor-lhe os receios que me assaltavam, quando se adiantou, asseverando que as preocupações do momento me atestavam as melhoras.

— Um homem desalentado não pensa em roupa — disse-me alegremente.

Acrescentou que Bezerra e o irmão Andrade não se demorariam e que a solução do problema fora prevista na véspera.

De fato, transcorridos alguns minutos, chegaram, atenciosos. A possibilidade de endereçar-lhes a palavra encheu-me de imenso júbilo. Abracei-os reconhecidamente.

Trouxeram-me um costume cinza, muito semelhante aos que eu aí preferia no verão.

O irmão Andrade ajudou-me a vesti-lo.

Mais alguns instantes e, entre os dois benfeitores que me amparavam lado a lado, oferecendo-me os braços, afastamo-nos da praia.

Enorme o movimento nas vias públicas. A mesma diferença que assinalara no mar, nas plantas e no casario, notava nas pessoas. Cada qual se revestia de halo diferente. Não me sentia, contudo, disposto a formular indagações. Assombrava-me com a locomoção própria e esse problema naturalmente solucionado bastava, por enquanto, à minha capacidade de analisar. Andava, sem grande desenvoltura; todavia, a lentidão de meus passos obedecia à inexperiência e não a qualquer impedimento por parte do corpo, que reconhecia leve e ágil.

Aproveitaria o momento para acentuar observações nesse sentido, quando apressada senhora, sobraçando embrulho de vastas proporções, investiu indiferentemente contra nós.

Grande foi o abalo para mim. Recuei, num movimento instintivo, temendo o atrito, mas não houve tempo. A dama *atravessou-nos* o grupo, sem dar conta de nossa presença.

Assustado, procurei o olhar dos companheiros. Todos me fitavam sorridentes.

— Este, meu caro Jacob — falou Bezerra, bem-humorado —, é o novo plano de matéria, que vibra em graduação diferente.

— Passou por nós, sem perturbar-nos — exclamei.

— Por nossa vez, não a perturbamos também — acentuou o irmão Andrade, satisfeito.

O incidente chocara-me. Via-me perfeitamente integrado no antigo patrimônio orgânico.

— Não estaremos num corpo de ilusão? — ousei interrogar.

Bezerra esclareceu, delicado:

— O poder da vida, na ilimitada Criação de Deus, é infinito, e a mulher que passou despercebidamente por nós, cujo veículo de carne caminha para a morte, poderia fazer a mesma pergunta.

A pequena ocorrência dava-me bastante material à reflexão. Gostaria de trocar comentários e propor questões diversas; todavia, o meu abatimento ainda era grande.

Deixei-me, pois, conduzir sem relutância, de imprevisto a imprevisto.

4.4 De retorno a casa

Grande movimentação de gente se fizera em volta do lar onde meus olhos de carne se haviam cerrado para sempre.

Natural atração me impulsionava a entrar, precipitadamente. O campo doméstico reclamava-me o espírito qual poderoso ímã. Entretanto, forças desconhecidas compeliam-me a retroceder.

Registrando o fenômeno, aflito, fixei Bezerra, buscando esclarecimento.

O venerável amigo contemplou-me pacientemente e falou:
— Ainda agora, reparávamos que o veículo físico de uma senhora em nada nos afetou a organização, mas aqui somos defrontados por matéria de nosso plano, envolvendo pensamentos agressivos e desfavoráveis em massa. As projeções mentais da maioria de nossos amigos, aqui congregados, formam energias contraditórias entre si. Alguns discutem e muitos pensam de maneira inadequada ao respeito que devemos a um companheiro em transe. Para nós, adestrados na travessia de obstáculos, esta compacta emissão de forças antagônicas não constitui barreira insuperável, mas é preciso reconhecer as condições especialíssimas do seu estado. Você ainda se acha na condição do pássaro mal saído do ninho, incapaz de voar livremente.

Regozijei-me com a explicação; contudo, indaguei, curioso:
— E se eu insistisse?
— Teria choques sumamente desagradáveis, adiando o restabelecimento de suas forças. Toda realização útil pede exercício.

Não teimei. A simples vizinhança das conversações infundia-me pronunciado mal-estar.

Recomendou Bezerra ao irmão Andrade e Marta me assistissem, enquanto cortaria o laço que, de certa forma, ainda me retinha às vísceras cadavéricas.

O regresso a casa, com as surpresas de que se fazia acompanhar, trouxe-me penosas impressões.

Esforçava-me por não cair, extenuado, ali mesmo.

Retornara a dispneia. Se o leito estivesse à minha disposição, nele buscaria, sem delonga, refúgio confortante.

Marta ajudou-me, esclarecendo que a hora se caracterizava por muita ansiedade no coração dos entes que me consagravam sincera estima na Terra, que inúmeros pensamentos de angústia convergiam sobre mim e, por isso, eu devia resistir, garantindo a tranquilidade própria.

Considerando o que ouvia, procurei acalmar-me.

As forças que me colhiam em cheio, insofreáveis e impetuosas, surpreendiam-me, dolorosamente, qual se fossem corrente elétrica.

Vozes imprecisas cercavam-me os ouvidos.

Onde me encontrava? Entre amigos ou no centro de um redemoinho de energias desconhecidas, mais furiosas que as do vento forte?

O irmão Andrade percebeu-me o desajustamento e sustentou-me nos braços com mais carinho e segurança.

Não ignorava que muitos amigos meus ali se encontravam; entretanto, apesar do imenso desejo de revê-los, via-me inibido de semelhante satisfação. Meus olhos se mantinham turvos e minha mente jazia atormentada.

5
Despedidas

Em muitas ocasiões colaborei nos serviços de socorro aos recém-desencarnados, mormente nas preces memorativas, mas estava longe de calcular as lutas de um "morto".

Amargurado e aflito, qual me achava, ponderei os sofrimentos dos que abandonam a experiência física sem qualquer preparação. Se eu, que consagrara longos anos aos estudos espiritualistas, encontrava óbices tão grandes, que não ocorreria aos homens comuns, que não cogitam dos problemas relativos à alma? Ali, à frente de meus próprios amigos, sentia-me num torvelinho de contraditórias sensações. Para quem apelar?

5.1 Atenções perturbadoras

Marta afagou-me a cabeça exausta e pediu-me calma. Esclareceu que as dificuldades eram justas. Muita gente se despede do mundo carnal sem obstáculos e sem desagradáveis incidentes. Inúmeras almas dormem longuíssimos sonos, outras nada percebem, na inconsciência infantil em que vazam as impressões. Comigo, porém, a situação se modificava. Adestrara a mente para enfrentar a grande transição, no campo de serviço ativo a que me dedicara. Convivera com os problemas do espírito, durante muito tempo, em esforço diário. Fizera relações extensas entre encarnados e desencarnados. E não poderia evitar que, perante o corpo inerte, se concentrassem manifestações mentais heterogêneas. Nem todos os pensamentos ali congregados traduziam amor e auxílio fraternais. As opiniões a meu respeito divergiam entre si, formando correntes de força menos simpáticas. Alguns conhecidos me atiravam flores que eu não merecia, ao passo que outros me crivavam de espinhos dilacerantes. Situava-me, pois, num quadro de impressões complexas.

As informações procediam da filha querida, em suaves esclarecimentos.

Acrescentou que não devia preocupar-me em excesso. A perturbação era passageira. Quando se dispersassem as atenções centralizadas no funeral, respiraria contente.

Contrafeito, registrei as explicações, meditando no ensinamento que recebia.

A vida real para mim, agora, era a do Espírito, a que recomeçava com a extinção da carcaça física.

Que desejo experimentei de materializar-me diante de todos, rogando a esmola da oração sincera! Como suspirei pela concessão de uma oportunidade de solicitar desculpas pelas minhas fraquezas! Se os amigos presentes me esquecessem os erros humanos e me auxiliassem com a prece, naturalmente o equilíbrio me beneficiaria imediatamente. Vigorosos recursos me sustentariam o coração. Mas era tarde para ensinar atitudes íntimas de caridade e perdão.

Pensei nos que haviam partido, antes de mim, experimentando as aflições que me assaltavam, e consolei-me. E não me esqueci de que os encarnados a ajuizarem com tanta facilidade, relativamente à minha situação, também seriam chamados, depois, à verdade espiritual, tanto quanto ocorria a mim mesmo.

Não me cabia reagir inutilmente por intermédio da angústia. O tempo é o nosso abençoado renovador.

5.2 Desligado enfim

Mais alguns instantes escoaram difíceis, quando inopinado abalo me revolveu o ser. Supus haver sido projetado a enorme distância. O irmão Andrade e Marta, naturalmente prevenidos, ampararam-me com mais força.

Confesso que o choque me assaltou com tão grande violência que julguei chegado o momento de "outra morte".

Dentro em pouco, no entanto, o coração se refez, equilibrou-se a respiração e Bezerra surgiu, sorridente, a indagar se o desligamento ocorrera normal.

Abraçaram-me os três, satisfeitos.

Explicou-me o respeitável benfeitor que, até ali, meu corpo espiritual fora como que um "balão cativo", mas doravante disporia de real liberdade interior. Pensaria com clareza, movimentar-me-ia sem obstáculos e deteria faculdades mais precisas.

Com efeito, não obstante sentir-me enfraquecido e sonolento, guardava mais segurança. Meus olhos e ouvidos, principalmente, registravam imagens e sons com relativa exatidão. As perturbações da hora não me afetavam com a intensidade de minutos antes.

Esclareceu Bezerra que, na maioria dos casos, não seria possível libertar os desencarnados tão apressadamente, que a rápida solução do problema liberatório dependia, em grande parte, da vida mental e dos ideais a que se liga o homem na experiência terrestre. Recomendou-me observar por mim mesmo as transformações de que era objeto.

Examinei-me, com atenção, e reparei efetivamente que, no íntimo, me achava fortalecido e remoçado, sem a carga de mazelas fisiológicas.

Conseguia locomover-me sem auxílio, embora imperfeitamente. Inalava o ar com alegria, e Marta notou que meu júbilo seria maior e minha sensação de leveza mais fascinante quando eu pudesse respirar o oxigênio de cima, qual nadador que bebe a água cristalina da corrente purificada, distante do tisnado líquido das margens.

Francamente, a morte do corpo fora milagroso banho de rejuvenescimento. Sentia-me alegre, robusto e feliz.

Readquirindo minhas possibilidades de analisar com exatidão, passei a refletir nos problemas de ordem material.

Como se fixaria o futuro doméstico? Que providências mobilizar em benefício de todos? Tais indagações como que me requisitavam a mente a plano diverso.

Faleciam-me as forças de novo.

Bezerra percebeu o que se passava, bateu-me nos ombros amigavelmente, e aconselhou:

— Você conhece agora, mais que nunca, o poder do pensamento. Procure o Alto.

Compreendi a referência e modifiquei-me interiormente.

5.3 Em dificuldades

Reajustado, notei que podia enfrentar os conflitos da hora, sem embaraços de vulto.

O irmão Andrade acentuou que, livre dos últimos remanescentes do corpo carnal, eu conseguiria aproximar-me dos amigos, sem choques de maior importância, aconselhando, porém, a não me avizinhar em demasia das vísceras cadavéricas, em cuja contemplação talvez fosse acometido por impressões desequilibrantes.

As novidades sucediam-se umas às outras.

Aquinhoado por visão mais segura, reparei, estupefato, que desencarnados em grande número se apinhavam ao redor.

Entidade menos simpática, quase rente a nós, dizia para outra que lhe era semelhante:

— O enterro é do velho Jacob, aquele mesmo que nos doutrinou, há tempos. Não se recorda?

— Perfeitamente — respondeu o interlocutor, gargalhando —, daria tudo para ver-lhe a "cara".

Riram-se gostosamente.

Memória funcionando sem empecilhos, registrando-lhes os apontamentos sarcásticos, localizei-os na lembrança.

Eram perseguidores de uma jovem internada numa casa de nervosos. Evoquei as particularidades da reunião em que me havia entendido com eles. Achava-me sumamente enfraquecido. Mesmo assim, gostaria de responder-lhes. Rememorei o interesse com que eu recebera a descrição da médium vidente, em relação a ambos, e confirmava, admirado, por mim mesmo, os informes com que fora presenteado. Sacrificaria muita coisa para interpelá-los, fazendo-lhes sentir o erro em que laboravam, e dispunha-me a interferir, quando o irmão Andrade me controlou os impulsos, acrescentando:

— Não faça isso! Provocaria contenda desagradável e inútil. Além do mais, eles não nos vêem. Respiram noutra *faixa vibratória*.

Realmente, procediam como se não nos vissem. Permaneciam junto de nós, sem perceber-nos, tanto quanto noutro tempo me movimentava, por minha vez, ao pé das entidades desencarnadas, sem notar-lhes a presença.

Despedidas

— Haverá tempo — frisou o amigo, bondoso e calmo.

Observando-me o encorajamento, conduziram-me os três à vizinhança imediata do corpo hirto.

Não obstante as melhoras de que me sentia possuído, não consegui atravessar a *onda de força* que se improvisara ao longo dos veículos.

Desejava ardentemente penetrar o recinto doméstico e, sobretudo, espargir, sobre os entes amados que ficariam distantes, os meus pensamentos de amor, reconhecimento e esperança. Bezerra, porém, avisou prudentemente:

— Não insistamos. É desaconselhável, por agora, a perda de reservas.

Contentei-me, buscando avistar amigos nos automóveis.

Grupinho de conhecidos atraiu-me a atenção. Avancei para eles, mas fui constrangido a afastar-me, decepcionado. Comentavam a política, em agressiva atitude. Mergulhavam a mente em disputas desnecessárias.

Pela primeira vez, verifiquei que os Espíritos inferiores não se comunicam somente nas sessões doutrinárias. A palestra, apesar de desenvolver-se discreta, apresentava notas de intercâmbio com o plano invisível, em cujos domínios ingressava eu, receoso e encantado. Um amigo expressava-se quanto aos problemas da verança, perfeitamente entrosado com uma entidade menos digna que, ali, ante meus olhos espantados, o subjugava quase que por completo, obrigando-o a proferir sentenças desrespeitosas e cruéis.

Retrocedi, instintivamente.

— Você, Jacob — falou Bezerra, em tom grave —, por enquanto ainda não pode suportar estes *dardos mentais.*

Encaminhamo-nos, então, para outro ângulo da rua.

Descobri nova agremiação de pessoas às quais me afeiçoara profundamente. Busquei-lhes a companhia, ansioso, seguido de perto pelos benfeitores; contudo, outra desilusão me aguardava.

Falava-se, em voz baixa, sobre as despesas prováveis com o enterramento dos meus despojos. Emitia-se julgamento apressado, envolvendo-se-me o nome em impressões desarmoniosas e rudes.

Recuei, como já o fizera.

Bezerra abraçou-me, compreensivo, e receitou paciência.

Abeirava-me de profundo desalento, quando, não longe, em certo veículo, observei a formação de lindos círculos de luz.

O irmão Andrade, atendendo-me à indagação silenciosa, esclareceu:

— Naquele carro, temos a claridade da oração sincera.

Pedi aos protetores me auxiliassem a procurar semelhante abrigo, mais depressa.

Alcancei-o e rejubilei-me. Alguns companheiros ofertavam-me os recursos da prece santificante. Tamanho foi o meu contentamento que quase me ajoelhei, feliz.

Aquela rogativa que formulavam a Jesus, em benefício de minha paz, constituía dádiva celeste. Do pequeno conjunto emanavam energias confortadoras que me penetravam à maneira de chuva balsâmica.

A oração influenciara-me docemente.

Creio que os recém-desencarnados quase sempre necessitam do pensamento fraterno dos que se demoram no círculo carnal. Explicou Bezerra que os recém-libertos comumente precisam do socorro espiritual dos entes queridos para se desembaraçarem, sem delonga, dos liames que ainda os prendem à experiência material.

Com o auxílio dos que ficam, aqueles que partem seguem mais livremente ao encontro do porvir.

5.4 Ante a necrópole

Assistia, enfim, ao sepultamento de minhas vísceras cansadas. A solenidade, referentemente à qual tanta vez me reportara, descortinava-se-me ao olhar possuído de assombro.

Despedidas

De envolta com as relações afetivas do mundo, compacta assembleia de desencarnados se pôs em movimento.

Nosso grupo continuava reduzido, mas aumentara. Outros amigos se reuniram a nós, abraçando-me. Declaravam-se desejosos de me acompanhar na *passagem para a esfera próxima*.

Intensa curiosidade dominava-me as emoções quando o cortejo estacou. Era a entrada para a necrópole, afinal.

Todo o local se enchia de *gente desencarnada*.

Francamente, intentei seguir para dentro, mas Bezerra, num abraço fraternal, recomendou, compassivo:

— Meu amigo, não tente a lição agora. Recordemos a parábola e *deixemos aos mortos o cuidado de enterrar os mortos*.

Em seguida, solicitou aos novos circunstantes nos deixassem a sós, até o instante da retirada definitiva.

Percebendo-me o desapontamento, observou-me, bem-humorado:

— Jacob, você não sabe o que está desejando. Por enquanto, os enterros muito concorridos impõem grandes perturbações à alma. Além disso, não desconhece que as vibrações daqueles que o amam procurá-lo-ão em qualquer parte.

Em virtude do parecer respeitável, afastei-me do corpo morto no momento em que penetrava a nova moradia.

6
A passagem

Quantas vezes julguei que morrer constituísse mera libertação, que a alma, ao se desvencilhar dos laços carnais, voejaria em plena atmosfera, usando as faculdades volitivas! Entretanto, se é fácil alijar o veículo físico, é muito difícil abandonar a velha morada do mundo.

Posso hoje dizer que os elos morais são muito mais fortes que os liames da carne e, se o homem não se preparou, convenientemente, para a renúncia aos hábitos antigos e comodidades dos sentidos corporais, demorar-se-á preso ao mesmo campo de luta em que a veste de carne se decompõe e desaparece. E se esse homem complicou o destino, assumindo graves compromissos à frente dos semelhantes, através de ações criminosas, debater-se-á, chorará e reclamará embalde, porque as leis que mantêm coesos os astros do céu e as células da Terra lhe determinam o encarceramento nas próprias criações inferiores.

Se o bem salva e ilumina, o mal perde e obscurece.

Livremo-nos do débito, para que não venhamos a mergulhar no resgate laborioso, e corrijamos o erro, enquanto a hora é favorável, evitando a retificação muita vez dolorosa.

6.1 Na expectativa inquietante

Agora que me desembaraçara do corpo grosseiro, então restituído à terra, mãe comum das formas mortais, intrigava-me o próprio destino.

Abandonamos o cemitério e, preocupado, reparei que Marta sorria afavelmente para mim.

Bezerra e o irmão Andrade despediram-se com afetuoso abraço, declarando que nos esperariam, dentro de duas horas, em determinado sítio fronteiro ao mar.

Minha filha respondeu por mim, afirmando que não faltaríamos. Sozinhos, agora, perguntou-me se não pretendia dizer adeus ao antigo ninho doméstico.

Aquiesci, contente.

Com que ansiedade tornei ao ambiente familiar! Contemplei, enternecido, tudo o que fora amontoado pela ternura das filhas em derredor das minhas necessidades de velho e, de permeio com o pranto que me assomou abundante aos olhos, aí espalhei os meus pensamentos e votos de paz e reconhecimento.

Visitei o núcleo de trabalho em que tantas vezes fora beneficiado pela Graça divina, abracei espiritualmente alguns amigos e pus-me a caminho, na direção da praia.

A que destino me conduzia?

Desencarnado como me achava, por que motivo não me vinha à lembrança, de súbito, toda a trama de reminiscências do passado? Por que razões não me recordava da anterior libertação espiritual? Onde se localizaria minha nova habitação? Na região europeia em que eu reencarnara ou na zona americana em que fora servido pelas benditas oportunidades do serviço e da experiência?

Marta assinalou-me a inquietude e recomendou-me paciência.

Teria os problemas solucionados, pouco a pouco.

Em rápidos minutos, alcançamos a praia.

Para onde me dirigiria?

6.2 Entre companheiros

Em meia hora congregava-se ao nosso lado reduzida assembleia. Espíritos protetores traziam outras criaturas tão necessitadas de assistência quanto eu mesmo.

Esclareceu-me Marta que outros desencarnados, carecentes de amparo, se reuniam aí, esperando também oportunidade de se ausentarem dos círculos terrenos.

Admirado, notei-lhes o abatimento, o cansaço.

Exceção de dois dos quinze "convalescentes da morte" que se aglomeravam junto de mim, sob o patrocínio de amigos abnegados, mostravam eles o olhar vitrificado e se movimentavam maquinalmente, orientados pelos benfeitores.

Acredito que, por minha vez, não revelava aspecto exterior mais atraente; todavia, não perdera a faculdade de analisar a situação.

Podia conversar à vontade e mesmo confortar um deles, dos de melhor posição psíquica, que simpatizou comigo à primeira vista.

O irmão Andrade, novamente conosco, notificou-me, delicado, que nem todos os socorridos se haviam desencarnado na véspera. Alguns permaneciam liberados desde alguns dias, mas não se apresentavam em condições de seguir adiante, senão naquela noite formosa e pacífica.

Asseverou que não era tão fácil abandonar, sozinho, sem maior experiência na Espiritualidade superior, o domicílio dos homens. Inumeráveis entidades inferiores cercam os recém-libertos, tentando realgemá-los às sensações do plano físico. Não seria justo expor amigos, bem-intencionados, a semelhantes ataques e, por isso, se formavam extensos cordões de vigilância. Disse-me que os pensamentos desordenados de milhões de pessoas encarnadas e desencarnadas do ambiente humano criam verdadeiros campos de imantação aos quais não se subtrai a alma facilmente. Acentuou que a nossa retirada, em perigosa circunstância qual aquela, em que a expedição conduzia alguns irmãos quase inconscientes, se realizaria, com mais êxito, sobre o campo ou sobre as águas. A atmosfera, ao redor desses elementos, é mais simples, mais natural.

Tive a impressão de que Bezerra era o supervisor da viagem. Organizou os grupos, distribuiu instruções e estimulava-nos, vigoroso e otimista, um a um.

Aproximou-se de mim e informou que a primeira jornada dos que se desenfaixam da carne exige providências que lhes garantam a tranquilidade, fazendo-me sentir que ainda nos demoraríamos um tanto, aguardando uma professora de bairro distante.

Escoaram-se alguns minutos e respeitável senhora, ladeada por dois benfeitores, acercou-se de nós.

Reconheci-lhe a elevação pela invejável serenidade. Formosa alegria pairava-lhe no semblante calmo. Saudou-nos a todos, simpática e feliz. De todos nós, os recém-desencarnados que ali nos reuníamos, era a única de cujo peito irradiava luz. Identifiquei-lhe a humildade cristã. A evidente superioridade que a distanciava de nós parecia afligi-la, tal a modéstia que lhe transparecia das atitudes.

Bezerra cumprimentou-a, bondoso, e confesso que, reparando aquela mulher de maneiras simples e afáveis, emitindo luminosidade sublime, inopinado sentimento de inveja me assaltou o coração.

Marta, todavia, lançou-me olhar de branda reprimenda.

Aquietei-me, de pronto, ponderando os sacrifícios a que fora por certo conduzida a bem-aventurada criatura, que me impressionava tão fortemente, para conquistar o precioso atributo.

Dono de enorme cabedal de informações sobre os maléficos efeitos da emissão mental menos digna, busquei a recuperação própria, reconciliando-me, apressado, comigo mesmo, em face da veneranda educadora cuja superioridade quase me feriu. Rearticulei as ideias do bem, dando-lhes curso intenso na atividade interior.

Minha filha sorriu, aprovando-me em silêncio.

6.3 O aviso de Bezerra

Tão preparados quanto possível para a marcha, Bezerra tomou a palavra conselheiral, dando-nos a conhecer os percalços do caminho.

Não posso reproduzir-lhe as observações ao pé da letra, mas o grande benfeitor anunciou que nos aguardariam surpresas dolorosas, na hipótese de não sabermos manter serenidade e desapego. À exceção da irmã que a nós se reunira por último, não detínhamos o poder da "irradiação luminosa", condição de garantia ao êxito na defensiva contra qualquer assédio das trevas. Estávamos quase todos, os recém-libertos do corpo, desprevenidos quanto a semelhante recurso e distraídos da preparação interior, não obstante a amplitude de nossa confiança em Deus. Poderíamos, assim, cair em sintonia com as forças da ignorância, inimigas do bem. Conservávamo-nos sob a custódia de elevados benfeitores que se interessavam por nós e por nossos destinos; todavia, se manifestáramos certo esforço no serviço da crença religiosa, fôramos mais apaixonados pela ideia elevada que propriamente realizadores dela no mundo. Achávamo-nos agora num campo diferente de matéria, onde só os conquistadores de si mesmos, no supremo bem ao próximo, guardavam posição de realce e domínio. Enquanto no plano carnal, poderíamos gastar a sagrada força da vida, lisonjeando os prazeres da plenitude física, esquecidos de exercitar as energias internas. Aqui, porém, éramos obrigados a reajustar apressadamente o cabedal de nossos recursos íntimos, centralizando-os na sublimação da vida, em face do porvir, se não quiséssemos dilatar a permanência nos círculos inferiores, acentuando qualidades menos dignas. A jornada, pois, representava a primeira experiência importante para nós, reclamando a nossa determinação de prosseguir para o Alto, com o máximo desprendimento da velha estrada de lutas que abandonávamos. De outro modo, provavelmente seríamos colhidos por emoções negativas, inclinando-nos para o retorno.

A advertência de Bezerra calou fundamente em todos nós que o ouvíamos, guardando noção daquela hora grave.

Reparando que era grande o número dos que ali se mantinham como que narcotizados, indaguei de Marta, em tom discreto, como se comportariam eles ante o severo aviso, informando-me a filha de que diversos dos irmãos em "traumatismo psíquico" despertariam em breves instantes, tanto quanto lhes fosse possível, e que, no fundo, cada qual registrava a advertência a seu modo, segundo lhes permitia a capacidade de entendimento, ainda mesmo considerando a posição de semi-inconsciência em que se achavam.

Pretendia formular ligeiro inquérito a respeito da "irradiação luminosa" a que Bezerra se referira, mas Marta me pediu, bondosa, deixasse as perguntas para depois.

6.4 A partida

Em breves minutos, encontrávamo-nos prontos.

O irmão Andrade e Marta sustentavam-me com os braços, lado a lado.

Outros grupos se formaram.

Os recém-desencarnados, qual me ocorria, mostravam-se amparados, um a um, por amigos espirituais, acreditando eu que estes constituíam dois terços de nossa expedição.

A capacidade de volitar está intimamente associada à força mental, porque, após sentida oração do supervisor, começamos a flutuar, acima do solo, guardando comigo a nítida impressão de que o vigoroso pensamento de Bezerra nos comandava.

O poder da individualidade evoluída e aperfeiçoada, nos cometimentos espirituais, deve assemelhar-se, de alguma sorte, ao do dínamo gerador em eletricidade, porque assinalava em mim, de modo inequívoco, o impulso determinante do orientador que ia à frente.

Não seguíamos em cordão contínuo, mas em grupos de dois, três e quatro, unidos uns aos outros.

Apesar do abatimento, não quis perder o novo espetáculo.

Em breves minutos, tínhamos as águas sob os pés, elevando-nos vagarosamente, à maneira de *peixes humanos no mar aéreo.*

Observação estranha! Julguei que pudesse continuar vendo edifícios e arvoredos, rios e oceanos, embora o véu noturno, como se contemplasse o solo planetário da janela de um avião comum; todavia, a sombra embaixo se fazia assustadoramente mais espessa.

Indaguei do irmão Andrade sobre a origem do fenômeno afirmando-me ele que a esfera carnal permanece cercada por vasta condensação das energias inferiores diariamente libertadas, pela maioria das inteligências encarnadas, assim como a aranha vive enredada na própria teia, e que, de mais alto, com a visão de que já dispunha, poderia ver o material escuro a rodear a moradia dos homens.

Quando perguntei se aconteceria o mesmo, caso partíssemos durante o dia, informou:

— Não. Qual acontece entre os homens, animais e árvores, há também "um movimento de respiração para o mundo". Durante o dia, o hemisfério iluminado absorve as energias positivas e fecundantes do Sol que bombardeia pacificamente as criações da Natureza e do homem, afeiçoando-as ao abençoado trabalho evolutivo, mas, à noite, o hemisfério sombrio, magnetizado pelo influxo absorvente da Lua, expele as vibrações psíquicas retidas no trabalho diurno, envolvendo principalmente os círculos de manifestação da atividade humana. O quadro de emissão dessa substância é, portanto, diferente sobre a cidade, sobre o campo ou sobre o mar. Nos pólos do planeta permanece o gelo, simbolizando a negação desse movimento. Mais tarde, observará você que as mesmas leis que controlam o fluxo e o refluxo do oceano influenciam igualmente o psiquismo das criaturas.

Recordei as páginas de André Luiz, narrando a vida além-túmulo, e tentei alongar a curiosidade sadia que chegava a vencer minhas impressões de abatimento, mas o delicado amigo aconselhou-me silêncio e oração, em face da expectativa inquietante naquela hora difícil de nosso retorno à vida espiritual.

7
Incidente em viagem

Se o homem soubesse a extensão da vida que o espera além da morte do corpo, certamente outras normas de conduta escolheria na Terra!

Não me refiro aqui aos materialistas sem fé. Aliás, a maioria dos ateus não passa de grande assembleia de crianças espirituais, necessitada de proteção e ensinamento.

Reporto-me, com vigor, aos que adotam uma crença religiosa, usando lábios e paixões, sem se afeiçoarem, no íntimo, às verdades renovadoras que abraçam.

Nós mesmos, os que nos beneficiamos ao contato dos princípios do Espiritismo cristão, principalmente nós que ouvimos a mensagem dos que respiram noutros planos da vida eterna, se fôssemos menos palavrosos e mais cumpridores das lições que recebemos e transmitimos, outras condições nos caracterizariam além do sepulcro, porque a Justiça indefectível nos espreita em toda parte e porque transportamos conosco, para onde formos, as marcas de nossos defeitos ou virtudes.

Depois da sepultura, sabemos, com exatidão, que o reino do bem ou o domínio do mal moram dentro de nós mesmos.

7.1 Atravessando sombria região

Seguíamos sem novidades e, pouco a pouco, adaptava-me a volatear como aluno que recapitula a prova.

Em torno, a paisagem escurecia sempre, não obstante resplandecerem as estrelas no alto.

Possuía a perfeita noção de viajarmos sobre vasto abismo de trevas. Observava, porém, admirado que não me sentia em processo de ascensão. A ideia de verticalidade estava longe de nós, tanto quanto a linha de esfericidade escapa à apreciação do homem que habita o globo da Terra.

Reparei, receoso, que não distante da estrada que percorríamos, vagarosamente, apareciam sinais de vida e movimento. Ruídos de vozes desagradáveis alcançavam-nos os ouvidos, de quando em quando. Formas monstruosas, de espaço a espaço, surgiam visíveis ao nosso olhar e, pelo que me era dado perceber, flutuávamos sobre região vulcânica, cujo "solo instável" oferecia erupções nos mais diversos pontos.

O que me afligia sinceramente era a contemplação de seres de lamentável aspecto, além das margens.

Não estou autorizado a descrever o que vi nesse particular, mas posso afirmar que as figuras sinistras da Mitologia ficam a dever à realidade com que eu era surpreendido.

Registrando o temor que se apossara de mim, o irmão Andrade, em voz baixa, explicou-me que os planos habitados pela mente encarnada emitiam, de permeio com as criações dos Espíritos inferiores desencarnados, formas perturbadas, quando não horripilantes, uma vez que a maioria das criaturas terrestres, na carne ou desenfaixadas do corpo, denunciavam-se, no íntimo, através de comportamento quase irracional. Salientou que a esfera próxima do homem comum, em razão disso, é povoada por verdadeira aluvião de seres estranhos, caprichosos e muita vez ferozes. Chegou mesmo a dizer que inúmeros sábios da Espiritualidade superior classificam semelhante região de "império dos dragões do mal". Rememorei a leitura de páginas mediúnicas vindas ao meu conhecimento antes da morte e o companheiro dedicado confirmou-as, declarando que a zona em que viajávamos constituía realmente o umbral vastíssimo, entre a residência dos irmãos encarnados e os círculos vizinhos.

Acentuou que o pensamento espalha vibrações em todas as latitudes do Universo e que as projeções da mente encarnada no planeta terreno não correspondem aos ideais superiores que inspiram as leis da Humanidade. Os homens, por fora — acrescentou o protetor —, nas experiências da vida social, aparentam cavalheirismo e nobreza; todavia, por dentro, na expressão real do ser, revelam ainda qualidades menos dignas, muito próximas da impulsividade dos animais. Na manifestação livre do Espírito prevalece a verdade da alma, não a aparência da forma passageira, e daí o largo cosmorama de paisagens escuras, torturadas e dolorosas que rodeia o lar terreno, em cuja substância igualmente sutil operam as entidades perversas, a modo do lobo que pode beber da mesma fonte em que a ovelha se dessedenta.

Percebi que o benfeitor desejava destacar que, em tais lugares, tanto pode o emissário do amor exercitar-se na renúncia do bem, como pode o malfeitor das sombras internar-se no crime e no mal.

Compreendendo, no entanto, que as atenções dele se dividiam entre o carinho para comigo e a expectativa asfixiante da hora, sofreei o desejo de perguntar.

7.2 Nova advertência

Quantas horas despendêramos, voejando sobre o extenso império das sombras?

Debalde tentava rearticular a noção de tempo. O abatimento e as surpresas sucessivas como que me aniquilavam o autocontrole.

Continuávamos sem ocorrências dignas de menção especial, através da mesma paisagem triste e obscura, quando um dos membros da expedição, ao lado de Bezerra, lhe mostrou um objeto semelhante à bússola que conhecemos na Terra, emitindo impressões que o supervisor escutou atenciosamente.

Logo após, o venerável amigo determinou uma pausa e, congregando-nos todos em derredor dele, comunicou em voz sumida e prudente que nos avizinhávamos de uma ponte de acesso aos círculos de atividade espiritual dignificada, que nos aguardavam além; entretanto, o registro magnético do psiquismo de nosso grupo assinalava o fenômeno que classificou por "inquietante média de pavor". Acrescentou que a importância da ponte era tão grande que, comumente, muitos habitantes das regiões perturbadas se aglomeravam na base que deveríamos atingir dentro em pouco, ameaçando os candidatos ao reino da luz. Pediu-nos calma e decisão, silêncio e prece e, sobretudo, lembrou-nos a obrigação de esquecer qualquer falta mais grave do passado para não cairmos em sintonia com os Espíritos ignorantes, penitentes ou malfeitores, daqueles domínios. Competia-nos manter harmonia e serenidade em nós mesmos, porque de outra maneira poderíamos interromper a corrente de força que sustentava os companheiros menos aptos ao serviço de volitação.

7.3 A ponte iluminada

Não nos movimentáramos, por muito tempo, e um facho de luz sublime varreu o céu, não longe, indicando uma ponte cuja extensão não pude, no momento, precisar.

Tão formosa e tocante foi a revelação no horizonte próximo, que muitos nos pusemos em pranto. A emotividade não provinha apenas da claridade que nos tocara os olhos; comovente mensagem de amor transparecia daqueles raios brilhantes, que percorreram o firmamento, copiando a beleza dum arco-íris móvel.

Enquanto muitos companheiros continham a custo as notas de assombro que nos dominavam, cerrei os olhos, por minha vez, naturalmente envergonhado.

Temor súbito vagueava-me na alma!

Teria cumprido todos os meus deveres? Se constrangido a comparecer ante um tribunal da vida superior, estaria habilitado a apresentar uma consciência limpa de culpas? Como seriam meus atos examinados? Bastaria a boa intenção para justificar as próprias faltas?

O sinal luminoso cortou vagarosamente o céu, de novo.

Minha alegria, ante a aproximação do plano mais elevado, era inexcedível, mas a noção de responsabilidade quanto às dádivas recebidas no mundo que eu deixara pesava agora muito mais intensamente sobre mim... Mereceria o ingresso naquele domicílio celestial?

Corriam-me as lágrimas, copiosas, quando o grupo estacou. No mesmo instante, ouvi um dos irmãos recém-desencarnados gritar em choro convulso:

— Não! Não! Não posso! Eu matei na Terra! Não mereço a Luz divina! Sou um assassino, um assassino!

Aqueles brados ressoaram lúgubres, sombras adentro.

Outras vozes responderam, horríveis:

— Vigiemos a ponte! Assassinos não passam, não passam!

Pareceu-me que maltas de feras preparavam-se para atacar-nos.

Não distante, a projeção resplandecente do invisível holofote clareava o caminho, qual se fora movida em *câmara lenta*.

Entre nós, emoções e lágrimas, junto de um companheiro em crise.

Em torno, ameaças e lamentos estranhos.

Além, a luz convidativa.

Bezerra, sereno, mas fundamente preocupado, rompeu a expectação, cientificando-nos de que deveríamos olvidar os erros do pretérito e que um dos amigos, em vista de corresponder em demasia à lembrança do mal, impusera descontinuidade à nossa viagem. Acentuou que as reminiscências de crimes transcorridos não deveriam perturbar-nos e que bastaria sintonizar-nos excessivamente com o pretérito para causarmos sérios prejuízos a outrem e a nós mesmos, em circunstância delicada quanto aquela. Disse que o irmão em crise realmente fora homicida em outra época, mas trabalhara em favor da regeneração própria e a bem da Humanidade, com tamanho valor, nos últimos trinta anos da existência, que merecera carinhosa proteção dos orientadores de mais alto e que não devia levar a penitência tão longe, pelo menos naquele momento, a ponto de ameaçar o êxito da expedição. Necessitávamos reatar o "fio de ligação mental comum", a fim de que a nossa capacidade volitante fosse mantida em alto padrão. De outro modo, a concentração em massa de entidades inferiores, ao pé da ponte, que se alonga sobre o abismo, talvez nos dificultasse a passagem.

Finalizando a ligeira observação, Bezerra acenou para mim e recomendou-me orar em voz alta, para que a nossa corrente de energia espiritual se recompusesse.

7.4 Em oração

Espantado com a designação superior, senti medo e vacilei. Ia pronunciar uma frase a esmo, esquivando-me à incumbência, mas Marta dirigiu-me expressivo olhar. Em silêncio, pedia-me obedecer à ordem recebida e prometia ajudar-me no cometimento.

Amparado por ela e pelo irmão Andrade, dispus-me a executar a determinação.

Que prece pronunciaria? Mantinha-se-me o cérebro incapaz de criar uma peça verbal compatível com as aflições da hora. Escutando os rugidos que procediam das trevas, fixei a filhinha e lembrei que Marta repetira aos meus ouvidos o Salmo 23, nos inquietantes minutos de minha liberação da carne. Copiar-lhe-ia o gesto. E erguendo meu Espírito para o Alto, sentindo de instante a instante que a emoção e o pranto me cortavam as palavras, repeti os versículos sagrados.

Ao redor, conspiravam, em nosso prejuízo, o barulho e a ameaça; todavia, quando pronunciei as frases de confiança: *Ainda que andemos pelo vale da sombra e da morte, não temeremos mal algum, porque Ele, o Senhor, está conosco; a sua vontade e a sua vigilância nos consolam* — nosso grupo, com Bezerra à frente, levitou sem dificuldade e ganhamos a ponte, atravessando-a a poucos pés de altura acima do arcabouço em que é estruturada, conservando o Espírito em prece expectante, como se pesada força de imantação nos atraísse fortemente para o abismo.

Que lápis do plano carnal conseguiria descrever a nossa sensação de contentamento e alívio?

Momentos surgem na vida em que só o profundo silêncio da alma consegue traduzir a paz, o reconhecimento e a alegria.

8
A chegada

Que seria da existência humana se todos os homens guardassem consigo a certeza de que vivem rodeados pela "nuvem de testemunhas espirituais"? Como agiria a criatura na vida doméstica e no círculo social se estivesse convencida de que amigos e afeiçoados a esperam em outro lar?

Inseguro viajante, preferindo roteiros incertos, o Espírito encarnado quase nunca se lembra de que é simples hóspede da esfera que o recebe. Não fosse um desmemoriado das bênçãos divinas, a caminhada, através da carne, ser-lhe-ia muito mais proveitosa e mais feliz o regressar!

Esses pensamentos assaltavam-me o cérebro ante os amigos que nos abraçavam acolhedores. Aguardavam-nos, contentes, no "outro lado", com o carinhoso amplexo de boas-vindas!

Nenhum de nós, os que fazíamos aquela travessia pela primeira vez, depois de permanência demorada na carne, ficou órfão das lágrimas de ventura! As explosões de carinho com que éramos recebidos faziam-me acreditar no ingresso no paraíso.

8.1 Na paisagem diferente

Modificara-se a paisagem, depois de transposta a extensa ponte. A escuridão quase absoluta ficara para trás, nos caminhos percorridos, e a atmosfera noturna tornara-se mais leve, mais clara. Impregnara-se o ar de perfumes sutis.

Movimentando-se ao nosso lado, os amigos que nos aguardavam, além do despenhadeiro, entoavam cânticos de júbilo. Não havia qualquer nota de tristeza nesses hinos de regozijo. Eram todos vazados em soberana alegria, qual se estivéssemos regressando à casa paterna, como o filho pródigo da parábola. Alguns foram acompanhados por Marta, cuja voz cristalina me expulsava o cansaço e o abatimento.

Muitos dos companheiros sustentavam tochas acesas e, à claridade delas, via-se-lhes o semblante iluminado e feliz.

Fizera-se a volitação mais agradável, mais rápida.

A estrada que percorríamos marginava-se de flores, algumas delas como que talhadas em radiosa substância, o que convertia a paisagem numa cópia do firmamento. Árvores próximas pareciam cobertas de estrelas.

Ouvindo as melodias suaves que partiam para longe, levadas pelo vento fresco a soprar-nos de leve sobre o rosto, eu não expressaria, de modo algum, a emoção que me dominava.

A que país, afinal, fora eu arrebatado pela morte? Teria subido a Terra até ao céu ou teria o céu baixado para a Terra?

Em verdade, incoercível desejo de dormir, ampla e despreocupadamente, escravizava-me os sentidos. As aflições de natureza física haviam terminado; todavia, certa fadiga sem dor me submetia inteiramente.

No entanto, aquelas vozes argentinas, a se evolarem para o Alto, alegremente, como que me embalavam o ser, revigorando-me as energias. Os versos comoventes dos cânticos e a música espiritualizante que vagava na atmosfera me arrancavam lágrimas inesquecíveis.

Que fizera no mundo para merecer o devotamento dos amigos e as ternuras de minha filha?

Por que não me lembrara, mais vezes, na Terra, de que retornaria ao lar espiritual? Eu pensara na morte, aguardara-a sereno e providenciara quanto julguei justo para quando o corpo exausto baixasse ao túmulo; todavia, não supunha que a vida, aqui, fosse tão natural. Se soubesse antes, ter-me-ia preocupado em semear o bem e a luz, mais intensamente, na causa que abraçamos.

8.2 Reencontro emocionante

Meditando nas festividades cristãs dos tempos primitivos do Evangelho, notei que celeste bando de aves luminosas surgia longe, voando ao nosso encontro.

Que pássaros seriam aqueles? Lera, em vários ditados mediúnicos, informes sobre a existência de aves diferentes das nossas, nas esferas espirituais vizinhas do plano físico, mas eram tão lindos os seres alados que se me revelavam aos olhos, que não hesitei em perguntar ao irmão Andrade quanto à procedência deles.

Interpelado por mim, não ocultou o riso afável e esclareceu:

— Não são aves, e sim crianças. Estou informado de que viriam buscar nossa irmã M...

E designou a professora cujo corpo espiritual se caracterizava por formosas irradiações de luz.

Atencioso, prosseguiu dizendo:

— Algumas lhe receberam no mundo o calor da maternidade sublime.

Quase no mesmo instante, a assembleia de meninos particularizava-se. Sob a admiração de nós todos, que interrompêramos a marcha, comovidos, alcançaram-nos cantando maravilhoso hino de glorificação à tarefa santificadora da maternidade espiritual, que as educadoras humildes, muita vez abnegadas e anônimas, abraçam na Terra.

Os pequeninos rodearam-na felizes, e um deles, que lhe fora tenro filho no mundo, enlaçou-lhe o colo e gritou:

— Mamãe! Mamãe!...

Reparei que a venturosa mulher, como que tangida pela emotividade interior, tornara-se mais radiosa e mais bela, parecendo-me que trazia uma estrela incrustada no coração.

Tão profundos sentimentos lhe afloravam na alma, que se prosternou de joelhos, soluçante.

Graciosa pequenina de olhos brilhantes e aureolada de luz comunicou-lhe que outra escola, muito mais linda, a esperava num parque celestial.

Como não chorarmos todos, ante aquelas manifestações de ternura?

Despedindo-se, ditosa, ladeada pelas criancinhas que lhe eram amadas, orou com lágrimas copiosas, emocionando-nos o coração.

Em breves minutos, vimo-la tomar rumo diferente, amparada pelos amigos que a seguiam, desde o princípio, e pelos pequenos ternos e trêfegos, num grupo iluminado e maravilhoso que remontou, célere, a ignota região da Pátria infinita.

8.3 Velhos amigos

Nosso agrupamento prosseguia, volitando...

A luz que, de vez em quando, varria o céu, vagarosa e sublime, em forma de leque, parecia mais próxima.

Começamos a divisar encantadoras e espaçosas moradias.

A chegada

De distância em distância, compareciam pequenas comissões, aguardando amigos.

Abraços fraternos eram distribuídos de momento a momento. Nenhuma nova despedida, porém, chegou a assemelhar-se à daquela professora devotada e desconhecida.

Prosseguíamos, já em pequeno número, quando, num grupo de quatro pessoas à margem, meu nome foi pronunciado em alta voz:

— Jacob! Jacob!

Sorridente, Bezerra imprimiu nova pausa à jornada, voltou-se para mim, deu-me o braço e conduziu-me até elas.

A palavra não pinta a grande emoção.

Surpreendido, jubiloso, mal contendo o pranto de emotividade, desferi um grito de alegria. Eram Guillon e Cirne, Inácio Bittencourt e Sayão.[4]

Abraçaram-me, efusivamente, e, pelo olhar afetuoso e grave que me dirigiram, demonstravam saber quanto se passava em minha alma.

Sentia-me na posição do viajante que volta de longe, com a bolsa cheia de novidades. Embora a fraqueza a constranger-me, gastaria horas relacionando o noticiário dos companheiros que se demoravam na carne, como trabalhadores da retaguarda. Não pareciam, contudo, muito interessados em recolher-me as informações.

Falou Cirne, bondoso, dos obstáculos que nos incomodam ao desencarnar. Acrescentou que meu caso, entretanto, era agradável e pacífico, pela expectativa mais ou menos longa em que eu vivera os derradeiros dias de octogenário, salientando que o mesmo não lhe ocorrera, em vista do repentino ataque de angina.

Guillon interrompeu-nos a ligeira palestra:

---

[4] Ver as *notas existentes no fim deste volume*.

— Libertemos o Jacob — acentuou, alegre —, teremos tempo para conversar.

Doía separar-me deles, quando o ensejo se me afigurava dos melhores para a troca de impressões.

— Oh! — exclamei consternado — quando nos veremos de novo?

Riu-se Guillon, em me observando o gesto de angústia, aduzindo:

— Ora, Jacob, esquece-se de que é eterno? Vá repousar.

Afastaram-se contentes, alegando ocupações imediatas. Não podiam acompanhar-me. Ver-me-iam na primeira oportunidade.

Bezerra, paternal, regozijava-se. Menos preocupado com o nosso grupo a dispersar-se, tantos eram os componentes já encaminhados a diferentes destinos, o dedicado supervisor manteve comigo um entendimento esclarecedor, comentando a extensão e a diversidade das tarefas que nos aguardam, além-túmulo.

Explanava atenciosamente sobre o Espiritismo no Brasil, quando uma casa iluminada, de graciosa configuração, se nos deparou aos olhos.

Marta, radiante, indicou o jardim, povoado de flores, murmurando:

— Enfim!

Bezerra, então, designou a entrada, abraçou-me afetuosamente, e concluiu:

— Descanse.

Intentei segui-lo, instintivamente; todavia, o estimado protetor prometeu, firme:

— Ver-nos-emos depois.

8.4 Em repouso

O irmão Andrade acompanhou-me, delicadamente.

A chegada

Ingressei na casa acolhedora, sob forte impressão de paz e ventura.

Difícil determinar se me achava, realmente, distante dos círculos terrestres. O ambiente doméstico era perfeito, não obstante mais acentuada beleza nos caracteres interiores. Tapetes, móveis, adornos e iluminação eram mais belos e mais leves e, apesar de revelarem autêntico bom gosto, não exibiam notas de luxo.

Retratos pendiam das paredes estruturadas em substância semiluminosa.

Uma senhora simpática e respeitável recebeu-nos com inexcedíveis demonstrações de ternura. Nomeou-a Marta, ante minha falha de memória. Recolhi-a nos braços, num transporte de indefinível felicidade. Como não situá-la nos dias inolvidáveis da infância? Era para minha filha, tanto quanto para mim, uma segunda mãe. Chamemo-la "Mamãe Frida", já que, por ordem superior, não estou autorizado a identificá-la.

Tentei a conversação longa, em perguntas compridas, mas reparei que, fora do grupo em que viajara e desligado da *influência vivificante* de Bezerra, meu cansaço se fez invencível.

Até ali, na jornada de prolongado curso — esclareceu Marta —, estivera sustentado, em grande parte, pela cooperação magnética do conjunto dos companheiros.

Busquei manter-me de pé, no entanto, a dispneia voltou, angustiante.

O irmão Andrade conduziu-me à vasta câmara que a filhinha me reservara, abriu extensa janela, através da qual pude contemplar as estrelas pálidas da manhã que se anunciava, acomodou-me num leito macio e, após aplicar-me passes reconfortadores, recomendou fraternalmente:

— Durma tranquilo.

E, sem saber como, entreguei-me ao repouso, encantado e feliz.

9
Esclarecimentos

Acordando do estranho torpor em que me afundara, não conseguiria dizer quanto tempo repousei. Não classificava por sono comum o estado diferente em que permanecera imobilizado. Tratava-se de um repouso desconhecido. Meu corpo espiritual jazia prostrado no leito acolhedor; contudo, achava-me numa atmosfera reveladora e surpreendente. As imagens não vagueavam imprecisas, à feição do que acontece no sono vulgar, em que a pessoa, findo o sonho, é incapaz de qualquer consulta aos registros da memória.

Ali, os quadros que se haviam sucedido, claros e firmes, demoravam-se amplamente marcados em minha recordação.

Vi-me em criança, na terra em que nasci e recapitulei a peregrinação do Velho Mundo para a América, com uma riqueza de particularidades que me espantava, como se fossem acontecimentos da véspera.

Revi, naquela maravilhosa e inexplicável digressão da mente, afetos preciosos, e abracei meus pais, viajando através de lugares desconhecidos...

9.1 Reanimado

Ao despertar, reencontrei o irmão Andrade junto de mim. Creio ter-me-ia ele aplicado recursos fluídicos para que se me revigorassem as energias.

Não me achava refeito de todo; entretanto, que alegre sensação de leveza eu experimentava agora!

Senti-me remoçado, otimista, contente.

Marta fez coro nos votos de felicidade com o estimado benfeitor que me prestava assistência.

Em poucos minutos, verifiquei admirado a necessidade de alimento.

Não experimentava a aflição dos estômagos famintos da esfera carnal. Sentia, no entanto, determinado enfraquecimento que sabia, de antemão, sanável pela ingestão de algum recurso líquido.

Minha filha compreendeu o que se passava, porque, daí a instantes, me trazia pequeno recipiente com certo suco de plantas de minha nova moradia.

Sorvi-o com alguma dificuldade, nele encontrando delicioso sabor.

A anemia cedeu como por encanto.

Encontrei bom ânimo para efetuar indagações. Não desconhecia que, em me reerguendo para contemplar o lindo dia a resplandecer lá fora, outra vida me aguardava, intensa e diferente.

Inevitáveis interrogações martelavam-me o cérebro e julguei oportuno valer-me dos préstimos do irmão Andrade, de modo a formulá-las sem delonga.

Consultei-o quanto às probabilidades dos esclarecimentos que eu desejava e, de bom grado, colocou-se ao meu dispor, para as elucidações precisas.

9.2 O repouso além da morte

Contei-lhe que, ao descansar, não tive a impressão de dormir, qual o fazia no corpo de carne. Permanecera sob curiosa posição psíquica, em que jornadeara longe, contemplando pessoas e paisagens diversas. Supunha, assim, não ter estado num sono propriamente dito.

Escutou-me atenciosamente, explicando-me, em seguida, que o repouso para os desencarnados varia ao infinito.

O Espírito demasiadamente ligado aos interesses humanos acusa a necessidade de amplo mergulho na inconsciência quase total, depois da morte. A ausência de motivos nobres, nos impulsos da individualidade, estabelece profunda incompreensão na alma liberta das teias fisiológicas, que se porta, ante a grandeza da Espiritualidade superior, à maneira do selvagem recém-vindo da floresta perante uma assembleia de inteligências consagradas às realizações artísticas; quase nada entende do que vê e do que ouve, demonstrando a necessidade de compulsório regresso à tribo da qual se desligará vagarosamente para adaptar-se à civilização. Também os criminosos e os viciados de toda sorte, com o Espírito encarcerado nas grades das próprias obras escravizantes, não encontram prazer nas indagações espirituais de natureza elevada, reclamando a imersão nos fluidos pesados e gravitantes da luta expiatória, em que a dor sistemática vai trabalhando a alma, qual buril milagroso aprimorando a pedra. Para as entidades dessa expressão, impõe-se torpor quase absoluto, logo após o sepulcro, em vista da falta provisória de apelos enobrecedores na consciência iniciante ou delinquente. Finda a batalha terrena, entram em período de sono pacífico ou de pesadelo torturado, conforme a posição em que se situam, período esse que varia de acordo com o quadro geral de probabilidades de reerguimento moral ou de mais aflitiva queda que os interessados apresentam. Terminada essa etapa, que podemos nomear de *hibernação da consciência*, os desencarnados desse tipo são reconduzidos à carne ou recolhidos em educandários nos círculos inferiores, com aproveitamento de suas possibilidades em serviço nobre, não obstante de ordem primária.

Não ocorre o mesmo com o Espírito médio, portador de regular cultura filosófico-religiosa e sem compromissos escuros na experiência material; quanto maior o esforço das almas dessa espécie por atenderem aos desígnios divinos, no campo físico, mais vasta é a lucidez de que se fazem dotadas nas esferas de além-túmulo.

Enquanto a mente das primeiras é requisitada ao fundo abismo das impressões humanas, ao qual se agarram à semelhança de ostras à própria concha, a mente das segundas busca elevar-se, tanto quanto lhes permitem as próprias forças e conhecimentos. O descanso, pois, além da morte, para as criaturas de condição mais elevada, deixa, assim, de ser imersão mental nas zonas obscuras do mundo para ser voo de acesso aos domínios superiores da vida.

Finalizando a resposta, o irmão Andrade asseverou que certas individualidades, não obstante exaustas no supremo instante do transe final, libertam-se da matéria grosseira e colocam-se a caminho de esferas divinizadas, com absoluta lucidez e sem necessidade de qualquer repouso tonificante, qual o compreendemos, em vista do nível de sublimação espiritual que já atingiram.

9.3 Recebendo explicações

Quando comentei a dolorosa surpresa que tivera ante a paisagem escura e perturbada que atravessáramos, o irmão Andrade ouviu-me sem protestos e afirmou que realmente eram contristadores os reflexos da mentalidade humana, em torno da crosta planetária, acentuando, todavia, que a verificação não fornecia razões de alarme, uma vez que, se um homem respira cercado pelas irradiações dos próprios pensamentos, o mundo — casa dos homens — se reveste das emanações mentais da maioria de seus habitantes. A residência do servo operoso revela-lhe as qualidades superiores no trato e aprimoramento do lar, ao passo que o domicílio do trabalhador ocioso anuncia-lhe a ignorância e a preguiça no abandono ou no lixo com que se caracteriza. Vivendo encarnados no planeta, quase dois bilhões[5] de individualidades humanas, esclareceu o benfeitor que mais de um bilhão é constituído por Espíritos semicivilizados ou bárbaros e que as pessoas aptas à Espiritualidade superior não passam de seiscentos milhões, divididas pelas várias famílias continentais.

Torna-se fácil, portanto, avaliar a extensão do serviço regenerativo além do túmulo, considerando-se que homem algum se transforma instantaneamente.

Compreensíveis, desse modo, se tornam as sombras que rodeiam a moradia da mente encarnada e as extensas organizações socorristas em que copioso número de missionários abnegados exercitam o amor e a renúncia, a piedade e a tolerância, entre milhões de Espíritos de baixa condição, à espera dos benefícios da lei reencarnacionista ou em aprendizado de virtudes rudimentares.

De relance, entendi a enormidade dos serviços redentores que se operam a distância da matéria carnal e experimentei imenso alívio!

Sim, havia trabalho, trabalho, trabalho...

Meditando, reconhecia que perdera tempo na Terra, mas algum lugar da vida nova me reservaria serviço salvador.

---

5 N.E.: Segundo dados da ONU em 2015, a população mundial está em torno de 7,3 bilhões de habitantes.

Quanto reconforto em semelhante perspectiva!

Pedi, logo após, ao amigo que me elucidava, esclarecimentos quanto à volitação.

Se o nosso grupo conseguira manter-se, acima da substância inferior, flutuando na direção do Alto, por que não pudéramos sobrevoar o abismo, sem utilizar a ponte iluminada?

Afável, o irmão Andrade explicou que o feito seria perfeitamente cabível se o grupo estivesse integrado apenas por entidades adestradas na vida espiritual, com as faculdades da volitação plenamente desenvolvidas, acentuando, porém, que a maioria dos recém-desencarnados que nos acompanhavam longe estavam de ampliar as próprias possibilidades nesse terreno, pela densidade das paixões, embora sublimáveis, de que eram portadores. Em tais condições de desequilíbrio, seriam facilmente atraídos pelas forças temíveis das trevas, como náufragos que desconhecem a arte da natação. Em vista disso, com Bezerra à frente e utilizando as energias de vários companheiros, estabelecera-se determinada média de força volitante para todos os necessitados, que se amparavam aos irmãos mais aptos, fenômeno esse que se assemelha ao da distribuição das energias valiosas, mas limitadas, de um dínamo elétrico.

E na vida livre — concluiu o benfeitor paciente —, o magnetismo pessoal divino, humano ou perverso é uma fonte geratriz das mais importantes, nas expressões do bem ou do mal.

9.4 O problema do esquecimento

Quando o benfeitor terminou, indaguei então acerca do meu próprio estado íntimo. Já que findara minha existência no veículo de carne, por que não reentrar na posse do passado? Por que razão não lembrava o período anterior ao meu retorno à carne? Por que me surpreendia ante os espetáculos da vida livre se da vida livre me ausentara, um dia, a fim de reencarnar-me? Não seria a morte simples regresso da alma ao pátrio lar? Em que causas se me enraizaria o esquecimento?

O irmão Andrade ouviu-me sereno e informou que a reencarnação e a desencarnação constituem vigorosos e renovadores choques para o ser e que, se, em alguns casos, era possível o reajustamento imediato da memória, quando a criatura já atingiu significativo grau de elevação, na maior parte das vezes a reabsorção das reminiscências se verifica muito vagarosa e gradualmente, evitando-se perturbações destrutivas.

Podemos simbolizar a mente numa casa suscetível de povoar-se com valores legítimos ou transitórios, quando não esteja atulhada de inutilidades e viciações. Alimentando-se na crosta da Terra com muitas ideias e paixões não perduráveis, aproveitadas pelo Espírito apenas por material didático, a não ser em processo expiatório para esvaziar-se do mal ou da ilusão, não lhe é possível o mergulho indiscriminado no pretérito, medida essa que lhe seria ruinosa, mormente na ocasião em que se desenfaixa do corpo denso, de carne.

Explicou que alguns companheiros usam excitações e processos magnéticos para adquirirem a lembrança avançada no tempo; no entanto, de acordo com a própria experiência, aconselhava submissão aos recursos da Natureza, de modo a retomarmos o pretérito com vagar, sem alterações de consequências deploráveis, até que, um dia, plenamente iluminados, possamos conquistar a memória integral nos círculos divinos.

10
Nova moradia espiritual

Decididamente, o paraíso de contemplação inalterável não era criação para mim.

As alegrias do retorno à Espiritualidade enobrecida e o reconforto da palestra com o irmão Andrade e Marta traziam-me, sem dúvida, infinito júbilo; todavia, ali mesmo, estirado no repouso do leito, sentia falta do serviço.

Sondava o reajustamento de minhas forças, reconhecendo que o cérebro não demonstrava o cansaço dos derradeiros dias do corpo de carne e as fadigas do coração jaziam extintas. Dentro de meu ser lavrava bendita renovação.

Pretendia rogar trabalho com aproveitamento de minhas possibilidades na ação útil, contudo, receava. Ignorava se minha pobre tarefa no mundo fora aprovada pelos poderes superiores. E, no íntimo, eu não desconhecia os meus próprios erros.

Como solicitar admissão às obras elevadas se não basta a boa intenção para servir com eficiência?

Estimaria sair da câmara e ver o quadro lá fora.

Respiraria, desse modo, o abençoado clima da atividade mental, observando, de antemão, quais seriam minhas probabilidades no futuro próximo. Apesar dos impositivos de trabalho que me torturavam o pensamento, deliberei calar.

Eu era, agora, um homem distanciado do leme. Asilara-me em outra embarcação e em outro mar, sob o patrocínio da generosidade alheia.

10.1 Comentários fraternos

O irmão Andrade, que me assinalava as mais íntimas apreciações, comentou o desengano de todas as criaturas que procedem da Terra esperando um céu de contemplações baratas, salientando que muitos Espíritos ociosos, na falsa apreciação da divina Justiça, imploram indevido descanso no paraíso, à última hora da experiência terrestre, depois de haverem sorvido todos os venenos da alma, na taça do corpo. Precipitam-se, então, nas trevas, revoltados no desespero e na indisciplina, além do sepulcro, logo que se capacitam da necessidade de continuação do esforço intensivo no autoaperfeiçoamento. Muitos irmãos infelizes, nesses protestos inúteis contra as Leis universais, caem presas de temíveis organizações de malfeitores desencarnados, aprendendo aflitivamente a desfazer os grilhões pesados da ignorância e da má-fé, ao contato de entidades cruéis que os dominam por tempo indeterminado, qual ocorre na esfera carnal aos homens rebeldes e ingratos que pagam alto preço pelo reajustamento espiritual de si mesmos, na estrada escura da desarmonia e da desilusão.

Considerou comigo os imperativos do serviço e, fazendo-me rir de contentamento, notificou que a minha colaboração seria examinada na primeira oportunidade, aconselhando-me, todavia, muita meditação e muita calma, a fim de não reentrar nas construções da Espiritualidade com os prejuízos da luta humana.

Porque lhe perguntasse pelo julgamento de meus atos, respondeu que a morte não nos conduz a tribunais vulgares e, sim, à própria consciência, e que, dentro de mim mesmo, encontraria, de acordo com os conhecimentos evangélicos hauridos no mundo, os pontos vulneráveis do meu Espírito, de maneira a corrigi-los.

Corei sinceramente, ao registrar-lhe as observações.

Atenuando, no entanto, o choque com que me beneficiava, esclareceu que os desencarnados totalmente extraviados não conseguiam acesso até ali e que, não obstante entregue ao meu próprio julgamento, um amigo de mais Alto viria ajudar-me a recompor o sentimento e o raciocínio.

Intrigado por não ouvir o nome do benfeitor anunciado e não desejando ser indiscreto, perguntei ao irmão Andrade se ele mesmo não poderia auxiliar-me em semelhante juízo, ao que replicou, sorrindo:

— Como assim, Jacob? Também eu estou lutando comigo mesmo. Não posso.

Ante essa revelação de humildade, calei-me resignado.

10.2 Na intimidade do lar

Daí a minutos, ausente Marta do quarto, ajudou-me o abençoado amigo a preparar-me e reerguer-me.

Antes de sair, pedi-lhe me auxiliasse numa oração breve, na qual roguei ao Todo-Poderoso me amparasse dentro da nova vida e me abençoasse os propósitos de progredir na prática do bem e no conhecimento da verdade.

O prestimoso companheiro abraçou-me, aprovando-me a súplica.

Passados alguns instantes, achávamo-nos junto da filha, numa confortável sala de estar.

Com emoção, vi um retrato de família, adornado de flores. Umedeceram-se-me os olhos ao identificá-lo. Como não recordar semelhante peça afetiva? Não registro a ocorrência pela sua feição pessoal. Desejo apenas marcá-la para consolo de quantos supõem na morte uma derribada completa das doces alegrias familiares.

A organização doméstica, na esfera elevada mais próxima do homem, é muito rica de encanto.

Formulei indagações variadas em torno de parentes que eu esperava rever ao regressar. Para todas as interrogações possuía Marta uma resposta clara e feliz.

Informou-me quanto ao destino de quase todos os laços do coração.

Alguns associados de minhas experiências jaziam de volta às regiões da carne, disputando novos troféus de redenção, enquanto outros operavam em círculos distantes. Muitos deles, encarnados ou não, poderiam ser visitados por mim e me visitariam a seu turno.

Reparando-me o interesse pelas novidades, mostrou-me a filha tudo o que representava o acervo da casa.

Quadros e decorações, objetos e enfeites desfilaram diante de meus olhos encantados.

Nem todas as peças eram semelhantes ao material caseiro que conhecemos na vida terrena, mas a afinidade de tudo o que eu via, de novo, com o ambiente humano era flagrante no quadro geral.

Deteve-se, contente, ante um piano de cauda, harmonioso e belo, mais completo que os do plano físico, afirmando, radiante, que ali mesmo tivera a satisfação de tocar para a mamãe, anos antes de minha vinda.

Graciosa e meiga, executou para meus ouvidos uma ária em que deixava transparecer sua extrema delicadeza filial e, talvez porque me visse os olhos marejados de lágrimas, recapitulando as emoções da paternidade terrestre, abandonou o instrumento e conduziu-me ao salão de leitura.

Espantei-me ante o carinho com que eram conservadas as publicações. A arte gráfica atinge aqui uma perfeição que não pode ser avaliada na Terra. Os tipos são estruturados em material luminoso e as gravuras na cor natural parecem animadas e vivas.

Folheei um volume de vastas proporções. Compunham-no recordações de Beethoven, destacando as lutas com que fora surpreendido no mundo para difundir entre os encarnados a mensagem musical dos planos superiores. Lendo as páginas iniciais, aprendi-lhe sublimes conceitos quanto à mediunidade divina entre as criaturas humanas.

Perguntei à filha sobre o paradeiro do grande compositor, ao que Marta respondeu dizendo sabê-lo numa esfera superior, cujo clima ainda lhe não fora dado alcançar.

O irmão Andrade referiu-se aos festivais maravilhosos dos círculos sublimados, asseverando que os artistas enobrecidos continuam criando a beleza e o bem para o desenvolvimento da vida planetária e, depois de encantadora conversação, saímos em agradáveis momentos de férias.

10.3 O parque de repouso

Muito difícil narrar a emoção que me dominou, ao afastar-me do interior doméstico.

Lembrando os dias rápidos em que tentava descansar na quietude de uma cidade serrana, quando ainda no corpo físico, vi desdobrar-se ante meus olhos enlevados a paisagem florida e brilhante de um burgo feliz.

As casas residenciais distanciavam-se largamente umas das outras, revelando o prévio programa de paz que as fez surgir.

Espécies variadas de plantas ostentavam flores garbosas e perfumadas.

Estávamos numa extensa planície e, não longe, divisava o casario que se adensava.

Respirávamos, certamente, nas cercanias de grande cidade do meu novo plano.

Informou-me Marta de que ela recebera permissão das autoridades para hospedar-me ali, no grande parque de educação e refazimento em que trabalhava. Incumbia-se de educar crianças, recentemente desencarnadas, em notável organização que visitei em seguida. Colaborava com diversos trabalhadores no auxílio aos pequeninos arrebatados à experiência carnal.

Alguns amigos dedicados pretendiam receber-me; entretanto, a filha querida aguardava-me. Dispunha-se a reconduzir-me à escola espiritual, tanto quanto eu tivera a felicidade de oferecer-lhe o coração na experiência física.

Satisfazendo-me à indagação, esclareceu que os edifícios do parque não representavam propriedade particular. Eram patrimônio comum, orientado pela administração central da coletividade.

Demonstrando a estranheza que me assaltava, asseverou Marta que na Terra os fundamentos da propriedade são idênticos, variando somente os aspectos da retenção provisória das utilidades planetárias por parte do homem, usufrutuário dos bens da vida, porque, apesar das leis respeitáveis que regem o assunto entre as criaturas, toda individualidade encarnada é compelida um dia, pela morte, a deixar as vantagens da esfera física.

10.4 Reencontrando a mim mesmo

Atravessávamos extensas e formosas avenidas marginadas por vegetação caprichosa e linda, quando tive o contentamento de ver alguns pássaros marcados por peregrina beleza. Cantavam extáticos, qual se fossem minúsculos seres conscientes, glorificando a Divindade.

A plumagem luminosa impunha-me assombro.

Trinavam junto de nós, sem temer-nos. Disse-me, então, o amigo Andrade que os seres inferiores, onde quer que se encontrem, refletem, de algum modo, as qualidades dos seres superiores que os cercam, e afirmou que os irracionais da esfera carnal poderiam exibir outras condições de aprimoramento, na posição de consciências iniciantes, se os homens adotassem atitude mental mais elevada perante a vida.

A harmonia do ambiente lembrava uma pastoral divina.

Perguntei a Marta, de súbito, com a aspereza que me é própria, se me seria possível avistar as autoridades administrativas ali sediadas, mas a filha, amorosa e convincente, me pediu aguardasse mais tempo. Reparei o halo de luz que a envolvia e os traços brilhantes que cercavam Andrade, fixando-me, em seguida, num demorado autoexame.

Meu corpo espiritual jazia tão obscuro quanto o veículo denso de carne.

Compreendi o conselho e, por pouco, não me despenhei no desânimo lamentável. Não trazia ainda comigo suficiente bagagem de luz para buscar, confiante, a aproximação dos Espíritos superiores.

11
A luta prossegue

A velha ideia de que os desencarnados dormem narcotizados de prazer barato, entre sonhos de incenso contemplativo, perde-se completamente para o Espírito de boa vontade que atravessa as fronteiras do sepulcro.

Se há, na Terra, juízes e administradores na Terra que alvejam os cabelos e se cobrem de rugas na atividade difícil em favor do bem e da paz dos semelhantes; se há homens e mulheres que já experimentam no mundo a coragem serena de abandonar as flores do sangue, colocando-se ao encontro da Humanidade, através dos espinhos do sacrifício e da renúncia, como aceitar um Céu onde os escolhidos sorriem e gozam ante o infortúnio alheio? Como entender um éden delicioso em que ninguém cogite de melhorar o purgatório infernal, se um simples político se preocupa em drenar o pântano que lhe prejudica a cidade?

11.1 Organização educativa
O que eu via, no parque ditoso, não era somente a expressão encantadora e pacífica da Natureza.

O interesse nos serviços do progresso geral mostrava-se inequívoco em todos os rostos.

A instituição a que minha filha presta concurso ativo impressionou-me pela grandeza. Trata-se de uma universidade que ultrapassa em programa e organização qualquer dos institutos europeus ou americanos destinados à formação e ao burilamento do caráter infantojuvenil.

Os edifícios centrais congregam-se inteligentemente sob velhas árvores, rodeadas de fontes translúcidas.

As crianças não encontrariam paraíso mais doce. Alguns irmãos e numerosas irmãs as orientam e educam com singular devotamento, preparando-as para a reencarnação na crosta planetária.

Penetrei o instituto, em companhia de Marta e do amigo Andrade, quando centenas de meninos brincavam felizes, em bando, nos extensos jardins.

Grande parte correu ao nosso encontro. Abraçaram minha filha efusivamente e alguns me beijaram as mãos, chamando-me vovô.

Aquelas manifestações de alegria pura fizeram-me infinito bem.

Diversos pequeninos traziam consigo formosos halos brilhantes.

Marta explicou-me que a instituição asila irmãozinhos desencarnados, entre sete e doze anos de idade, e, porque eu indagasse pelas crianças tenras, esclareceu Andrade que, para essas, quando não se trata de entidades excepcionalmente evoluídas, inacessíveis ao choque biológico da reencarnação, há lugares adequados, onde o tempo e o repouso lhes favoreçam o despertar, a fim de que lhes não sobrevenham abalos nocivos.

Informou-me a filha de que as criancinhas não obstante viverem ali, em comunidade, dividem-se, no esforço educativo, por turmas afins. Caracterizam-se os grupos por variados graus de elevação espiritual e as classes se subdividem pelas aptidões e tendências, examinados os precedentes de cada uma. Quando perguntei se na vida espiritual pode a criança desenvolver-se e optar pelo mau caminho, replicou Andrade que isso é perfeitamente cabível, considerando-se que, com o desenvolvimento na nova esfera, a alma recapitula as emoções do passado, com apelos íntimos de variadas espécies, acrescentando, todavia, que, de modo geral, as crianças estacionadas nos parques de reajustamento sempre se encaminham à reencarnação. Se o Espírito de ordem sublimada se desenfaixa dos laços da carne, quite com a lei que nos governa o destino, em período infantil, readquire, de pronto, as mais altas expressões da própria individualidade e ergue-se a mais elevados planos.

Marta me apresentou lindos grupos, inclusive algumas dezenas de pequenos indígenas libertos do corpo, em fase primária de cultura e inteligência.

Experimentei, porém, a maior surpresa quando me deu a conhecer a assembleia dos meninos-orientadores. São meninos e meninas de passado mais respeitável e por isso mesmo mais acessíveis aos ensinamentos edificantes da instituição. Demoram-se no parque, às vezes muito tempo, aguardando circunstâncias favoráveis à execução dos projetos de ordem superior e, enquanto permanecem aí, desempenham valiosas missões, junto a crianças e adultos, entre as duas esferas, além das tarefas usuais de que se incumbem na própria organização em que se mantêm estacionados. Constituem, assim, vasta coletividade de escoteiros do heroísmo espiritual, junto dos quais encontramos inapreciável estímulo e santo exemplo.

11.2 Ambiente novo

Edificado com o que observara, seguimos na direção do casario central da cidade que me hospedava.

Inútil tentar a descrição do carinho e da dedicação dos habitantes para com a paisagem. Flores e arvoredo, evidentemente conduzidos para o trabalho de espiritualização, surgiam lindos e enternecedores, a cada passo. Em certos jardins, as flores luminosas chegavam a formar frases inteiras de glorificação à Divindade.

Os domicílios não se torturavam uns aos outros como nas grandes cidades terrestres; ofereciam espaços regulares entre si, como a indicar que naquele abençoado reduto de fraternidade e auxílio cristão há lugar para todos.

Não vi estabelecimentos comerciais, mas, em compensação, identifiquei grande número de instituições consagradas ao bem coletivo.

Recordando a leitura das narrativas de André Luiz e Vale Owen, perguntei ao irmão Andrade quanto às características do novo ambiente, informando-me, então, que nos achávamos numa colônia espiritual de emergência, situada em planos menos elevados.

Diversas comissões de socorro em múltiplos trabalhos salvacionistas aí funcionam a benefício, não só de criaturas encarnadas, mas também de extensas multidões de desencarnados em sombra e desespero.

As vias públicas mostravam-se cheias de transeuntes.

Muitos se agrupavam, seguindo em conversação ativa, enquanto outros passavam, isoladamente; todavia, em nenhum rosto surpreendi expressões de rancor, aflição ou desânimo. A irritação parecia não ter acesso, ali, naquele domínio de tranquilidade construtiva. Alguns me fixavam com simpatia e bondade, naturalmente percebendo a minha condição de neófito e, dando a conhecer ao irmão Andrade a estranheza com que reparava a serenidade das pessoas, salientou o estimado amigo que os habitantes da colônia, ainda mesmo quando detenham motivos fortes de preocupação, fazem quanto lhes é possível para guardar a paz com sinceridade, atentos aos desígnios de ordem divina.

11.3 O magnífico santuário

Após atravessar graciosas avenidas, onde a Natureza educada oferece sublimes espetáculos à vista, parei admirado diante de formoso e magnificente edifício, no qual adivinhei um templo importante. Sete torres maravilhosas, de algum modo semelhantes às da famosa Catedral de Colônia, invadem as alturas. Em tudo o que meu olhar podia abranger, eu observava primorosas manifestações de ourivesaria, admirável pela finura e beleza.

Elucidou Marta que nos achávamos perante o grande santuário da cidade, onde se processam os mais destacados serviços espirituais da vida coletiva.

Até ali, somente chegam, vindas da esfera carnal, pessoas libertas do estreito dogmatismo religioso.

Discípulos de qualquer doutrina, aferrolhados na cadeia do fanatismo cruel, são obrigados a períodos mais ou menos longos de reparação da vida mental, em círculos mais baixos.

Naquele templo, portanto, explicou a filha, comungam no amor e na veneração a Deus todos os Espíritos liberais, com moradia nesse domicílio espiritual ou de passagem por ele; ainda mesmo ligados às escolas de crença que os identificavam na crosta do planeta, aqui confraternizam, em torno do Evangelho de nosso Senhor Jesus Cristo, não encontrando motivos para dissensões e descontentamentos.Há serviço diário na casa divina que me retinha extático e deslumbrado. Alvas portas coroadas de luz ligavam-na à cidade, em todas as direções, e, através delas, entravam e saíam longas fileiras de criaturas bem-aventuradas, de semblante plácido.

Ponderou Andrade que ali eram recebidas ordens e inspirações, programas de serviço e bênçãos de estímulo da vida mais alta. Grandes servos do Altíssimo ali se materializam, procedentes de esferas sublimadas e distantes, distribuindo amor e sabedoria e, justamente das torres soberanas e veneráveis, é que parte, cada noite, o facho de luz, guiando viajores no mar das trevas, do qual havia tomado conhecimento na travessia da extensa ponte sobre os despenhadeiros.

Quando intentei penetrar o santuário, por um dos ângulos próximos, ambos os companheiros de excursão me sustaram o gesto. Não convinha, disseram. Eu era ainda um simples recém-chegado, com característicos indiscutíveis do corpo terrestre, mas feliz e confortado; registrei-lhe a informação de que, na noite do trigésimo dia sobre a data de minha libertação, seria recebido por muitos amigos no templo consagrado ao serviço divino.

Até lá, cabia-me a necessária preparação, através das fontes do pensamento.

11.4 Fenômenos da sintonia espiritual

O dia correu, célere, multiplicando surpresas confortadoras, ao redor de meus passos, e, à noite, findo o culto doméstico das palavras divinas, Marta me convidou ao recolhimento, afirmando que a cidade permanecia cheia de atrativos e estudos para a noite; contudo, aconselhava-me o repouso, de modo a evitar excessos de impressões nas primeiras horas de meu contato com a paisagem.

Surpreendendo-me, o amigo Andrade declarou que se demoraria junto de mim, naquela noite. Salientou que minhas forças jaziam quase refeitas, que começava a viver a experiência normal na esfera nova e, por isso, provavelmente eu necessitaria de instruções fraternas.

Não obstante intrigado, aceitei, satisfeito, o oferecimento gentil.

Passamos a extensa câmara destinada ao descanso, mas bastou que me entregasse à quietação para que certo fenômeno auditivo e visual me perturbasse as fibras mais íntimas.

Vi perfeitamente, qual se estivessem dentro de mim, as filhas queridas, então na Terra, e alguns poucos amigos, que deixara no mundo, dirigindo-me palavras de saudade e carinho.

— Pai querido! diga-me se você ainda vive! Desfaça minhas dúvidas, ensine-me o caminho, venha até mim!

Era a voz de uma delas a interpelar-me.

O amoroso chamamento ameaçava-me o equilíbrio. Minha razão periclitou por segundos. Onde me encontrava? Contemplava-a ao meu lado, queria beijar-lhe as mãos, expressando-lhe reconhecimento pela imensa ternura, mas debalde a buscava.

Ainda me não desembaraçara do inolvidável momento de estranheza, quando um médium de minhas relações apareceu igualmente no quadro.

— Meu amigo! Fale-nos, conforte-nos!... — rogou, comovidamente.

Meu coração pulsou apressado. Como atender aos apelos?

Ia gritar, suplicando socorro. Todavia, o irmão Andrade, mais prestativo e prudente que eu poderia supor, abeirou-se de mim e cientificou-me de que aquele era o fenômeno da sintonia espiritual, comum a todos os recém-desencarnados que deixam laços do coração, na retaguarda. Esclareceu que, através de semelhante processo, era mesmo possível comunicar-se com o círculo físico, quando o intermediário terreno possa conservar a mente na *onda de ligação mental* durante o tempo indispensável. Informou que a entidade desencarnada é suscetível de manter intenso intercâmbio pelos recursos do pensamento e que, por intermédio dessa comunhão íntima, encarcera-se o criminoso nas sombras das próprias obras, tanto quanto o apóstolo do bem vive com os resultados felizes de sua sementeira sublime de renúncia e salvação.

Insuflou-me forças vigorosas, utilizando passes de longo curso e, recomendando-me calma, asseverou que, aos poucos, saberia controlar o fenômeno das solicitações terrestres, canalizando-lhes as possibilidades para o trabalho de elevação.

12
Entre companheiros

É imenso consolo pensar que a morte não interrompe o trabalho sadio e edificante.

Os ideais nobres possuem suas verdadeiras raízes na vida espiritual e, além do túmulo, podemos continuar o serviço que se afina com as nossas tendências e esperanças.

Se é verdade que os maus, por vezes, prosseguem caminho, algemados às realizações escuras, é certo, igualmente, que a tarefa do homem bem-intencionado não sofre pausa ruinosa em seu desdobramento. Há mil ângulos diversos em cada missão de benemerência, e a Providência divina favorece, em toda parte, a determinação do homem, de cooperar nesse ou naquele setor do bem.

Meus primeiros contatos com os associados de serviço espiritista cristão representaram para meu Espírito incentivo inapreciável.

Que contentamento pensar na continuidade da colaboração digna! Que conforto verificar que os meus defeitos não me anularam, de todo, para a obra doutrinária que tanto amara no mundo! Não obstante as graves imperfeições de meu trato pessoal, seguiria avante, lutando, servindo e aprendendo...

A certeza de que marcharia, sem violência e sem saltos, em minha própria regeneração e aperfeiçoamento, enchia-me de otimismo e esperança.

12.1 Visitas fraternas

Enlevado e ditoso com a assistência fraternal de que era objeto, recebi na segunda noite duas visitas agradáveis e preciosas.

Guillon e Schutel vieram abraçar-me.

Prestei muita atenção à presença e à palestra de ambos, de modo a não ser impreciso em qualquer notícia que me fosse possível transmitir aos companheiros terrestres.

Estavam como que remoçados e profundamente felizes.

Auréolas de tênue luz irisada acentuavam-lhes a simpatia irradiante.

Indagaram, bem-humorados, de minhas impressões iniciais na experiência nova, e, quando comecei a relacionar as surpresas, notei que faziam o possível por arrebatar-me o pensamento aos negócios e assuntos de somenos importância.

Schutel mencionou o júbilo com que se entrega ao serviço de sua rica sementeira, em Matão, e falou das bênçãos que continua recolhendo na vida espiritual, com tanto entusiasmo que, francamente, lhe invejei a posição íntima.

Guillon, visivelmente satisfeito, referiu-se ao contentamento com que colabora na extensão dos trabalhos doutrinários, sob a orientação de Ismael, e mostrou imensa alegria pela possibilidade de prosseguir, em Espírito, junto à esposa e aos filhos queridos, perfeitamente integrados em seu idealismo superior. Demonstrava enorme reconforto por haver readquirido plenamente a visão. Seus olhos, com efeito, permaneciam mais penetrantes, mais lúcidos.[6]

Prometeram-me ambos que, a breve tempo, eu retomaria minhas atividades na doutrinação, explicando que, não longe dali, infinito trabalho nos aguardava a cooperação.

12.2 Opinião autorizada

Perguntando a Guillon quanto ao motivo pelo qual não se comunica mais frequentemente em nosso meio, fez um gesto significativo, na calma que lhe é peculiar, e falou:

— Ora, Jacob, quase que diariamente visito as nossas organizações, partilhando do trabalho de abnegados servidores do Espiritismo no Brasil; entretanto, você compreende os obstáculos do intercâmbio prematuro ou inoportuno. Os companheiros de luta devem agir em campo livre; qual aconteceu conosco, fazem a corrida no estádio da fé. Necessitam usar a própria razão e revelar as próprias forças na concretização das bênçãos que recebemos de Jesus. E você reconhecerá comigo, hoje, que não será justo interferir, não somente com a supervisão que procede de cima, da influenciação indireta e sábia de nossos orientadores, mas também nos serviços de colaboração que se processam nos círculos que nos são familiares. Sempre que possível, coopero com os amigos no desenvolvimento do ideal que abraçamos; todavia, não é imperioso venham a saber de minha presença pessoal nas tarefas que lhes competem. A liberação do corpo pesado não nos exonera da obrigação de servir nas fileiras do Espiritismo com Jesus; entretanto, podemos atuar sem nos identificarmos. Não faltam meios para a ação sem barulho, mais substancial e mais proveitosa, atentos,

---

[6] N.E.: Guillon Ribeiro tinha ambos os olhos cataratados e, praticamente, não enxergava pela vista direita.

quanto devemos estar, à vitória da ideia cristã e não ao prevalecimento indébito e provisório de nossos pontos de vista. O concurso do Brasil na obra de cristianização do mundo é muito mais importante que parece, e, nessa bendita contribuição, há lugar para todos os servos do Evangelho, embora as divergências naturais na interpretação dos textos sagrados. Estamos diante de agigantado esforço de educação, cuja grandeza nem de leve podemos apreciar, por enquanto. Assim, é conveniente utilizarmos os recursos ao nosso alcance, em benefício da fraternidade geral, com sadio e gradativo entendimento da verdade e do máximo bem, ausentes de qualquer problema intrincado e desagradável do personalismo menos digno, que somente orgulho, egoísmo e vaidade representa. É imprescindível esquecermos os casos pessoais, para fixar a mente no espírito coletivo da tarefa redentora.

E, com um sorriso que bem lhe expressava os altos atributos de psicólogo, terminou:

— É preciso evitar as complicações de "nossa morte".

12.3 Informações da luta espiritual

Quando indaguei se moravam ali, naquela mesma colônia de refazimento e educação a que eu fora conduzido pela ternura da filha, responderam negativamente.

Declarou Guillon residir em plano diferente, em companhia da genitora que o aguardara, além-túmulo, com extremado carinho, de onde prosseguia em ligação com os familiares inesquecíveis e com os irmãos de tarefa, ainda materializados no mundo, e Schutel fixara-se em extensa organização, destinada a proteger os interesses do Espiritismo evangélico, no mesmo núcleo em que Guillon fora compelido a sediar-se, atendendo ao coração.

Comentaram ambos o serviço de Espiritualidade, a desdobrar-se em todas as direções.

Reportou-se Guillon às fundas impressões que lhe causavam as atividades de auxílio aos Espíritos das trevas, lembrando, com calor, as sessões do Grupo Ismael, em que muitos eclesiásticos, envenenados de ódio e cegos de ignorância, são conduzidos ao conhecimento cristão, e contou-nos que tantos sofrimentos e incompreensões existem nas zonas próximas à moradia dos homens, que Bezerra e Sayão, autorizados à sublime ascensão aos planos superiores, haviam decidido renunciar a semelhante glória, em companhia de outros missionários devotados ao sacrifício pessoal, a fim de se consagrarem, por mais dilatado tempo, à transformação gradual de longas fileiras de infelizes. Assim é que muitas instituições de socorro e esclarecimento são mantidas nas regiões abismais, onde a inteligência de Espíritos tirânicos e sagazes estabelece a escravidão organizada, embora temporária, de grande número de desencarnados invigilantes e desviados das Leis divinas, mantendo-se em mentirosas exibições de poder, qual acontece a muitos homens destacados da Terra, que encarceram os semelhantes nas teias de suas criações mentais para o mal, em que se comprazem, até que o Domínio supremo os revolva.

A ação contra o crime e contra a ignorância, nas esferas que rodeiam a experiência carnal, é vigorosa e incessante.

Destacou a necessidade de maior aproveitamento das lições que o Espiritismo oferece às criaturas e explicou que a obra social que a nossa Doutrina Consoladora vem realizando no Brasil constitui valioso esforço de vanguarda, uma vez que, em muitos centros de evolução planetária, a solidariedade humana, com entendimento e aplicação das bênçãos divinas, somente é suscetível de intensificação nos círculos de trabalho além da morte do corpo. Encareceu que o Espiritismo evangélico é chamado a desempenhar imenso apostolado de libertação da mente humana, encadeada aos mais escuros e asfixiantes preconceitos que operam a prisão e a moléstia de milhões de almas. Salientou que não vale morrer sem a regeneração íntima, porque ninguém avança um palmo no caminho da eternidade, sem luz própria. Daí continuar acreditando que o maior serviço prestado à Doutrina é, ainda, o da própria conversão ao infinito Bem. Os fenômenos que costumam preceder a mudança das atitudes mentais, no terreno das convicções, outra finalidade não trazem senão a de sacudir a consciência, despertando-a para a responsabilidade, ante as leis universais. Com a perda do instrumento de carne, não havíamos penetrado um sistema de acesso indiscriminado ao Reino divino e, sim, no esforço de extensão desse Reino, na Terra mesmo.

Agora que nos achávamos em "outra região vibratória do planeta", poderíamos aquilatar a extensão da luta.

Era tão comum renascer na matéria física, quanto morrer nela e, se a paisagem das esferas felizes era uma realidade atingível, não é menos imperiosa e verdadeira a obrigação de nos aprimorarmos, a fim de merecê-las.

Quando o homem compreender a grandeza da vida e a retidão da justiça, então o quadro terrestre se modificará, orientando-se invariavelmente para o Bem supremo.

12.4 Noite divina

Finda a palestra instrutiva e longa, Guillon e Schutel convidaram-me a visitar o Rio, junto deles.

O irmão Andrade, que me seguia de perto, consultado por meu olhar interrogativo, aquiesceu prontamente. A excursão ser-me-ia proveitosa e não me perturbaria o refazimento. Acompanhar-nos-ia com prazer.

Despedi-me de Marta pela primeira vez, após haver ingressado na experiência nova. E, em me afastando do ambiente doméstico acolhedor, fui surpreendido pela paisagem encantadora. Algumas centenas de crianças brincavam sob as venerandas árvores do parque, amplamente tocado de luz. Muitas delas traziam a fronte coroada de auréolas sublimes e brilhantes. Cantavam com alegria, mas no fundo daquele júbilo com que se davam as mãos umas às outras, em graciosos cordões quais coros de anjos, repontava manifesta saudade das afeições terrenas, porque os versos formosos e cristalinos falavam na ternura das mães distantes.

As melodias simples e doces casavam-se aos raios das estrelas que fulguravam em torno da Lua crescente.

Guillon indicou-me os pequeninos saltitantes e comentou:

— Para as mães angustiadas dos círculos terrenos, existem aqui filhinhos inquietos e saudosos.

Carros fulgurantes, muito diversos dos que conhecemos no mundo, adornados de flores radiosas, passavam, não muito além, celeremente, talvez em busca de esferas próximas.

As torres do santuário cintilavam sob o firmamento tranquilo.

Pusemo-nos a caminho e, confiado na generosidade dos que me assistiam, ousei formular uma interrogação que procurara calar, desde o princípio:

— Guillon — exclamei hesitante —, você sabe que sempre dediquei amor e veneração a Bittencourt Sampaio... Onde estará ele? Poderei encontrá-lo?

Informou-me o companheiro que o nosso respeitável amigo colabora na supervisão do Espiritismo evangélico, em plano superior, adiantando, porém, que, provavelmente, seria Bittencourt o mensageiro de amizade que viria de mais alto trazer-me as boas-vindas, na noite de minha recepção no grande templo.

Reconfortado e feliz, decidi esperar.

13
Revendo círculos de trabalho

O retorno ao Rio emocionava-me.

Não ignorava que a maioria dos recém-libertos do plano físico não se podem movimentar com a eficiência desejável.

Muitos Espíritos permanecem como que anestesiados e inconscientes, outros se demoram na incapacidade de qualquer apreciação de si mesmos, imobilizados pelo choque ou pelo terror.

Comigo, porém, a situação diferia.

A sede de saber renovava-me as forças.

Relembrando os últimos instantes na experiência material, retomava mal-estar indefinível. A dispneia parecia uma entidade imaginária, pronta a individualizar-se, dentro de mim, toda vez que a evocava em pensamento. Bastava recordar certos sintomas do esgotamento que experimentara no corpo de carne, para registrá-los imediatamente no organismo espiritual.

Compreendi, desse modo, que a mente possui incalculável poder sobre o nosso campo emotivo e, assim como poderia materializar ideias de doença, também deveria criar ideias de saúde e mantê-las. Baseado nessa convicção, procurei decifrar o problema em meu próprio benefício e passei a mentalizar o equilíbrio e a esperança, a alegria e o serviço.

Estimulado pela proteção de valorosos amigos, cabia-me honrar-lhes o carinho e a devoção. Convidado, pois, a segui-los, competia-me apresentar o melhor padrão de energia, serenidade e entendimento.

13.1 Observações na crosta

Na volta, não se verificaram as peripécias da ida. Ao nos afastarmos mais extensamente do parque e achando-me amparado pelos companheiros que me ofereciam braços acolhedores, entregamo-nos à volitação plena.

Perdurava em mim a impressão de viagem na linha horizontal, mas lembro-me de haver contemplado, curiosamente, a grande ponte que o facho luminoso destacava, espaço a espaço, calculando que íamos, agora, não só rapidamente, mas em maior altura.

Guillon, robustecido e bem-humorado, aconselhou-me estabelecer paralelo entre o veículo que usávamos, ali, e o pesado corpo de carne que abandonáramos ao solo terrestre e, porque alcançássemos a estação de destino em minutos breves, afirmou-me que, se há rotas aéreas para os pássaros metálicos da aviação planetária, há rotas espirituais definidas que favorecem a instantânea condução de entidades menos chumbadas às sensações da vida física.

Reparei que não atingimos a cidade, quais foguetes verticalmente derramados do céu, e sim com a naturalidade de alguém que descesse uma escada de vastíssimos degraus, perfeitamente disfarçados uns dos outros.

Pousando no chão, senti estranha diferença. O contato com a terra semelhava-se ao de um magnete, o que me obrigou a concluir que a volitação só é possível, com facilidade, na crosta do mundo, aos Espíritos mais evolvidos e adestrados na movimentação de certas forças fluídicas.

Comentou Schutel as surpresas dos primeiros dias do homem desencarnado, na vida extracorpórea, alegando que os decênios transcorridos no corpo carnal imprimem hábitos que, efetivamente, passam a constituir uma "segunda natureza" para a individualidade.

Quando considerei a possibilidade de nos materializarmos, em plena avenida, para dar testemunho da sobrevivência, riu-se Guillon, discreto, e afiançou que, se tal cometimento fosse provável, a perturbação alcançaria muita gente, de vez que o próprio clarão revelador da crença, para demonstrar-se benéfico, há de penetrar gradualmente o templo interno de cada um, acentuando que, por isso mesmo, concede o Senhor suficientes recursos à mente encarnada para aproveitar-lhe as bênçãos, na renovação e iluminação de si mesma. O progresso espiritual será sempre gradativo, sem violência e sem alarme.

13.2 Cortando a via pública

Era, contudo, uma novidade para mim devorar a distância nas vias públicas, dentro da noite, sem ser visto pelos semelhantes encarnados.

No dia imediato ao de minha liberação, em verdade fiz pequena caminhada em companhia dos amigos que me amparavam; entretanto, a posição de abatimento não me havia proporcionado ensejo de experimentar toda a extensão da surpresa de que me via agora possuído.

O que mais me espantava era a expressão espiritual de cada pessoa que me cruzava o caminho. Observei que muitas criaturas permaneciam acompanhadas por Espíritos benignos ou por sinais luminosos, que me deixavam perceber o grau de elevação que já haviam atingido, mas o número de entidades gozadoras das baixas sensações da vida física, a seguirem suas vítimas, de perto, era francamente incalculável.

Anunciou-me Guillon que bastaria breve exame para identificarmos a natureza do vício de cada uma. Pouco a pouco, embora o tempo curto, verificava por mim mesmo, através dos gestos com que se revelavam, os Espíritos ainda presos às paixões sexuais, aos tormentos do ódio e aos caprichos da vingança. O irmão Andrade, a cuja assistência recorrera, muitas vezes, nos últimos tempos de minha tarefa humilde para socorrer alcoólatras inveterados, em casos difíceis nos quais a obsessão se caracterizava perfeitamente, indicou-me alguns transeuntes torturados pela dipsomania. Estavam seguidos por verdadeiros vampiros de forma repugnante, alguns completamente embriagados de vapores, outros demonstrando aflitiva sede, pálidos e cadavéricos. O quadro mais inquietante, porém, era constituído por um morfinômano e pelas entidades em desequilíbrio que se lhe jungiam. Parecia um homem subjugado por tentáculos de polvos enormes. Vendo-o aprisionado em cordões escuros, perguntei ao amigo Andrade como interpretar a visão que tínhamos sob os olhos, esclarecendo-me ele, então, que os hipnóticos, mormente os mais violentos, afetam os delicados tecidos do perispírito, proporcionando doces venenos aos amantes da ociosidade; os fios negros são fluidos de ligação entre as "lampreias" invisíveis e os plexos da vítima encarnada.

Compreendi, com mais exatidão, que o viciado de qualquer espécie é compelido a procurar material emotivo para si e para os que o obsidiam, caindo invariavelmente na insaciedade que o caracteriza.

Fitei Guillon, espantado, e indaguei:

— Que acontecerá a um infeliz destes, se ele desencarnar?

— Se a morte encontrá-lo em tal posição — respondeu, sereno —, vagueará por aí, à vontade dos verdugos que o exploram vorazes, até que, um dia, delibere modificar-se, intimamente, para o bem de si mesmo.

13.3 Aula de preparação espiritual

Daí a minutos, penetrávamos respeitável instituição, onde cooperaríamos na transformação de entidades perigosas pela avançada cultura desviada para o mal.

Conduzido por Guillon a extensa sala, com surpresa forte, aí encontrei Leopoldo Cirne rodeado de dezenas de entidades menos evolutidas, a lhe escutarem a palavra, atenciosas.

Era uma aula perfeita, na qual o velho amigo preparava futuros companheiros para a contribuição espiritual de ordem elevada.

Notei-lhe a preocupação de sintetizar para ganhar tempo.

Dos tópicos registrados por mim, assinalei, por mais expressivo, o ensinamento da cooperação.

Ainda depois da morte — enunciava ele —, a fraternidade é o caminho da salvação. Para que um criminoso retome o patrimônio da paz, urge regenerar-se e socorrer os irmãos ignorantes que tiveram também o infortúnio de resvalar nos despenhadeiros do crime; a fim de que o intemperante se reajuste, é imprescindível se cure, colocando-se no auxílio dos que ainda não puderam libertar-se dos maus hábitos; se o ingrato deseja iluminar o próprio caminho, convém-lhe a reparação dos erros em que se mergulhou impensadamente, amparando o próximo de coração enrijecido, despertando-o para os benefícios da gratidão. Inadiável, portanto, é a reforma íntima com o trabalho de autoaperfeiçoamento, para que a dádiva da reencarnação produza frutos de paz e sabedoria.

Os Espíritos, revelando fundo interesse, ouviam-no com a mesma atenção com que na Terra se registram informes alusivos ao dinheiro fácil.

Sorridente, Guillon comentou a posição diversa em que nos achamos, atravessado o sepulcro. Enquanto, no mundo vulgar, esmagadora maioria das criaturas menospreza a alma, atendendo às vantagens imediatas do corpo; sobrevindo a morte assinala-se a reviravolta — os indiferentes de ontem, na maioria, buscam o olvido das impressões que lhes ficam da experiência física, procurando as vantagens da alma.

Ninguém se eleva do chão planetário, ostentando asas alheias e, daí, as organizações numerosas de assistência e socorro sobre a Terra mesmo.

Cirne é um dos pioneiros dessas escolas de preparação espiritual. Terminada a aula, veio ter conosco, prestativo e amável.

— Então — disse-lhe, satisfeito —, orientando nossos irmãos para o Céu?

Fitou em mim aqueles mesmos olhos cintilantes que lhe conhecíamos noutro tempo e respondeu:

— Não, Jacob, não é bem isto. Se na esfera carnal trabalhamos na condução do próximo para que aprenda a bem morrer, cooperamos agora a fim de que saiba renascer com proveito.

13.4 Nos serviços de doutrinação

Não tive tempo para refletir-lhe a resposta sábia. Schutel veio buscar-nos para o serviço de evangelização.

Os trabalhos de socorro aos desencarnados endurecidos estavam iniciados com a prece do orientador da reunião.

Naturalmente, poderiam ser instruídos em nossa esfera de luta — afirmou Guillon, compreensivo —, entretanto, os benefícios decorrentes da colaboração atingiriam particularmente os amigos encarnados, não somente lhes aumentando o conhecimento e a experiência, mas também lhes suprimindo lastimáveis impulsos para o mal.

Que os infortunados ali, diante de nós, eram perseguidores sombrios não padecia dúvida. Não viam os benfeitores que até ali acorriam para melhorar-lhes as condições, embora agissem constrangidos pelas forças magnéticas que deles emanavam; contudo, ouviam-lhes as instruções e advertências edificantes, através daqueles mesmos aprendizes das aulas do Cirne.

Reparei, então, com mágoa, a diferença que existia entre mim e os abençoados companheiros que me haviam trazido. Ao passo que nenhum deles era visível aos irmãos ignorantes e perturbados, não obstante as irradiações brilhantes que lhes marcavam a individualidade, notavam-me a presença entre os ajudantes intermediários, pertencentes aos cursos preparatórios de espiritualidade superior.

Certa entidade reconheceu-me e gritou:

— Aquele, ali, não é o Jacob?

E, mirando-me de alto a baixo, acentuou:

— Que é da luz dele?

Sentindo a opacidade de minha organização espiritual e envergonhado com o incidente, recolhi-me ao silêncio e à inação, receando intervir nos serviços da noite, no desdobramento dos quais não sobrava tempo para qualquer indagação ociosa de minha parte.

Finda que foi a tarefa, expus ao Guillon o meu caso; todavia, afagando-me os ombros, fraternalmente, exclamou sem humilhar-me:

— Não se atormente, meu caro. Medite, ore e, no momento oportuno, receberá os necessários esclarecimentos. Esteja certo de que a sua luz virá.

Semelhantes palavras de reconforto, porém, não conseguiram afastar a profunda tristeza que me tomou o coração.

14
Excursão confortadora

Quantas vezes invocamos a luz nos círculos da fé religiosa! Despreocupados, aconselhamos amigos que a procurem e, em muitas ocasiões, inadvertidamente, receitamo-la para os irmãos que consideramos nas sombras. Através de conversações ociosas, indicamos criaturas que não a possuem e, sempre que tomamos a palavra em público, suplicamo-la para o mundo em altos brados.

Em verdade, semelhante cooperação é oportuna e salutar, quando baseada na sinceridade e na reta intenção; todavia, frequentemente olvidamos a palavra do Senhor que nos recomendou aproveitar as oportunidades da experiência humana, na iluminação de nós mesmos, através do devotamento ao próximo.

O problema avultava em minhas cogitações.

Os amigos nada me sugeriam, nada reclamavam. Amparavam-me sorridentes e felizes; no entanto, as irradiações brilhantes de que se faziam acompanhar constituíam silenciosa advertência.

Eu não providenciara luz para mim mesmo. Conduzira muitos desencarnados à fonte sublime das claridades evangélicas, mas esquecera as próprias necessidades. Doutrinara muita gente ou pretendia haver doutrinado e, em todo o meu movimento verbal da pregação cristã, salientara o imperativo da luz para os corações humanos. Contudo, agora que participava de uma sociedade espiritual, reconhecia a opacidade de minha alma. Mantinha-se-me o perispírito no mesmo aspecto em que se caracterizava na experiência física.

Oh! Senhor, por que não fazemos bastante silêncio, dentro de nós, para ouvir-te os ensinos, enquanto nos demoramos nos atritos do mundo?

14.1 Amparo filial

A sós com Marta, uma vez que o irmão Andrade retomara as obrigações que lhe eram habituais a fim de reencontrar-me à noite, não dissimulei a tristeza que me asfixiava.

Encontrando-me em lágrimas, a filhinha esforçou-se por reconfortar-me. Estava amargurado, vencido, expliquei-lhe. Albergado num campo tranquilo, onde todas as bênçãos da amizade me sorriam, sentia-me indigno de tanto auxílio e ternura.

Não acendera a própria lâmpada à frente do futuro.

Ali, ninguém me acusava, ninguém me proclamava as deficiências; todavia, eu próprio não era estranho à minha posição...

Não lhe falava com a expressão caprichosa da zanga juvenil, mas com o profundo sentimento do homem que se vê desencantado, de momento para outro, enganado nas melhores intenções.

Marta, porém, pediu-me serenidade e reflexão. Asseverou que inúmeras pessoas desencarnam em minhas condições e que, naquele núcleo de trabalhadores, ninguém se julgava maior. Muitos companheiros traziam densa obscuridade consigo e nem por isso deixavam de operar, contentes e serviçais, na conquista de mais nobres expressões da personalidade. Não era lícito entregar-me, daquele modo, ao desânimo. Ainda que houvesse perdido o tempo, de todo, não me cabia supor que as lágrimas bastassem ao trabalho reparador. Competia-me o trabalho de renovação incessante para o bem.

14.2 Viagem feliz

Reparando-me o sincero propósito de reajustamento, Marta, bondosa, naturalmente interessada em consolar-me, propôs uma excursão rápida. Dispunha das horas para auxiliar-me. Ela sabia de meu íntimo desejo de visitar a Califórnia, atendendo aos apelos do coração. Por lá, alguns laços queridos me aguardavam o Espírito.

Acariciei o projeto com alegria quase infantil. A inquietação e a curiosidade que me marcaram os passos na jornada terrestre estavam inteiras, dentro de mim. Além disso, a excursão teria maravilhoso caráter, sob o esplendor solar.

Abafei as preocupações que me torturavam e aprestei-me.

A breve tempo, achávamo-nos fora do abençoado pouso de serviço e refazimento.

À claridade do dia, as vizinhanças não apresentavam senão o aspecto de longa massa de matéria opaca. Nas cercanias, não cheguei a vislumbrar nem mesmo a ponte que reconhecera na noite da véspera e, distanciando-nos do burgo venturoso, notei que atravessávamos outras colônias espirituais, cheias de vegetação e casario, embora menos ricas de beleza. Respondendo-me às interpelações, informou-me a filha de que sempre nos é dado visitar os planos inferiores e consultá-los, não se verificando o mesmo quanto às esferas superiores, relativamente às quais precisamos satisfazer à necessária preparação.

Penso que estacionaria longo tempo nas paisagens sob os meus olhos, se Marta, docemente, não me chamasse a atenção para os objetivos que nos conduziam.

— Nestes planos — disse-me a filha —, a ligação mental com a Terra ainda é enorme. Muita gente que "matou o tempo" vive por aí com sede de reavê-lo. São saudosistas da experiência na carne que estimam viver, por enquanto, quase que exclusivamente do passado. Não praticaram males graves, porém não se aplicaram ao bem tanto quanto deviam. Queixam-se de mil infortúnios, mas recusam qualquer norma regenerativa.

Graciosamente, acentuou:

— É o "pessoal da omissão".

Supunha-nos muito longe de atingir a estação de destino, quando a ternura filial me indicou a linda paisagem da Califórnia. Julguei fosse descortinar, antes, os formosos panoramas da Serra Nevada, contrastando com as águas soberbas do Pacífico. Entretanto, já pisávamos o chão norte-americano.

Como descrever a maravilhosa viagem para o leitor faminto de informações? Não guardo a presunção de fazê-lo.

Temos aqui, em jogo, forças e elementos inapreciáveis ao senso contemporâneo e seria tão difícil explicar minha rápida jornada ao oeste dos Estados Unidos, quanto seria impraticável qualquer narrativa, por parte de um homem comum, aos seus vizinhos, depois de haver viajado no espaço, com velocidade mais ou menos semelhante à da luz ou à do som.

Se um europeu culto precisa cuidado ao comunicar-se com um esquimó, de modo a não ferir-lhe a posição mental e a fim de não ser tomado por mentiroso, que dizer das medidas que um Espírito desencarnado deverá adotar em face de um amigo ainda enclausurado num corpo terrestre?

14.3 Visita significativa

Após saciar a sede afetiva, junto de corações particularmente queridos à minha alma, surgiu-me certo propósito invencível.

Recordando minha passagem pelas terras abençoadas da América, lembrei alguém a cuja inteligência e bondade nunca dispensara suficiente admiração.

Fitou-me a filha, como a adivinhar-me os pensamentos. Antes, porém, que me dirigisse a palavra, consultei, de improviso:

— Marta, não seria possível avistar-nos com Thomas Edison?

Ela sorriu, compreensiva, deu-me o braço generoso e tomamos a direção norte.

Decorridos alguns minutos, alcançávamos sublime paisagem, além...

Nós, que defrontáramos extensas comunidades, evidentemente ligadas à herança espanhola, aportávamos, agora, em vasto círculo de educação anglo-saxônia.

Passei a usar o inglês, para melhor entender-me.

Conduziu-me Marta a nobre edifício, onde expôs o propósito que nos movia a um cavalheiro de respeitável figura, mas, surpreendido, ouvi o interpelado anunciar que o grande benfeitor já fora avisado quanto à nossa visita e aprestava-se para o encontro. Habitava ele — esclareceu o informante — esfera muito elevada, mas viria imediatamente receber-nos por quinze minutos. Não dispunha de mais tempo.

Acostumado, no Brasil, às longas conversações, embora jamais desprezasse o valor das horas, tentei, acanhado, renunciar à satisfação que pedira. Contudo, o prestimoso irmão que nos atendia esclareceu que, durante o ano de 1947, o grande inventor destacou maior percentagem de tempo para rever amigos de outra época.

Enquanto aguardávamos, indaguei de minha filha sobre a barreira das formas de expressão verbal. Continuaríamos, além da morte, assim isolados uns dos outros pelas fronteiras linguísticas? Os desencarnados no Brasil não poderiam penetrar os tesouros da civilização de outros povos, em razão do idioma, convertido, desse modo, num cárcere?

Marta explicou-me com paciência que o Espírito dos lares nacionais domina nos círculos mais imediatos à mente encarnada e que, à medida de nossa elevação, encontraremos mais largas demonstrações de entendimento coletivo, até conseguirmos recursos de acesso à perfeita comunhão espiritual, absolutamente libertados de qualquer inibição decorrente das dificuldades de intercâmbio. Acentuou que, dos agrupamentos temporários em que estacionávamos, os Espíritos em maioria são obrigados ao retorno à carne, a fim de prosseguirem no aprendizado e que toda libertação e toda sublimação têm o seu preço correspondente em esforço próprio. Se nos encontramos na realização A, por mais desejemos a realização B, não lhe atingiremos as vantagens sem preparo, serviço e aplicação.

14.4 A palavra de um grande benfeitor

Demorávamo-nos entretidos na palestra reconfortante, quando vi Edison em pessoa. Tamanha luminosidade lhe coroava a cabeça veneranda, que tive ímpetos de ajoelhar-me. Avancei para ele, perturbado de júbilo, e quis beijar-lhe as mãos. O inolvidável benfeitor abraçou-me, de encontro ao peito, e, esquivando-se às minhas homenagens, recordou os últimos anos do século passado, reportando-se ao fonógrafo, cuja vulgarização tive o prazer de acompanhar.

Rememorei o centenário de seu nascimento, e o admirável cientista declarou que, não obstante desencarnado, continua trabalhando sem descanso, à frente dos perigos que ameaçam a atualidade terrestre. Mergulhado nos estudos e realizações da Física no plano espiritual, não é infenso ao serviço glorioso que o Espiritismo vem efetuando em benefício do mundo, aduzindo, porém, que não basta provarmos a sobrevivência individual depois da morte, nem colocar novos patrimônios da Natureza à disposição da inteligência do homem, e sim promover imediatos recursos de dignificação da personalidade. Alongando-se no assunto, comentou, categórico, a necessidade de ajustamento da razão aos fundamentos divinos da vida, a fim de que os processos educativos no mundo observem o imprescindível respeito à Fonte da Criação Eterna. Declarou que a desintegração atômica, praticada na América, é seguida com indizíveis preocupações pelas Forças Tutelares do planeta, afirmando que a Humanidade vive, no momento, aflitivo período de transição, sem a menor perspectiva de paz duradoura, em virtude dos sentimentos belicosos que orientam os corações. Em tempo algum — asseverou sem afetação —, houve tão grande impositivo de entendimento e aplicação dos ensinos de Jesus, mas, até que os princípios do Cristianismo governem as criaturas, de maneira geral, reinarão entre elas fome e sede, guerra e enfermidade, injustiça e medo, destruição e ruína, periodicamente.

Sentindo que o tempo se esgotava, indaguei se não voltaria a reencarnar, ao que ele replicou afirmativamente. Num sorriso, porém, acentuou que esperaria o instante oportuno. Perguntei, ainda, pela continuidade dos seus inventos maravilhosos, com especial menção à luz elétrica, ao que me respondeu, sorrindo:

— O Criador é Deus, nosso Pai. Somos simples instrumentos dos desígnios sábios e justos dele. As invenções continuam na esfera transposta e no círculo em que respiramos presentemente. Agora, porém, meu caro Jacob, não será a ocasião de inventarmos uma lâmpada divina e eterna que funcione, para sempre, dentro de nós mesmos?

Com a observação delicada e construtiva, veio o abraço final, constrangendo-nos às despedidas.

15
No templo

Além da morte, situam-se as esferas da continuidade.

Se o homem comum conseguisse deter o curso dos pensamentos de segunda ordem, durante alguns minutos por dia, de modo a refletir na grandeza da vida, sondando as realidades da morte, certo evitaria as algemas do mal que o agrilhoam às recapitulações expiatórias.

Aqui, permanecemos articulados em nossas próprias criações, tanto quanto as peças de determinada máquina a ela se ajustam para o necessário funcionamento.

Quem se aflija na escassez de possibilidades materiais ou na angústia de tempo, faça o bem mesmo assim. Quem se lamenta no cativeiro do crime, esforce-se por fugir-lhe às garras, dedicando-se ao socorro dos semelhantes. Quem se demora no sono do vício, louve a mão áspera que o desperta e levante-se para a caridade regenerativa.

Cada dia que passa para o homem encarnado parece gritar-lhe aos ouvidos: Ainda é tempo! Ainda é tempo!

Dirige-nos a morte para os objetivos que procuramos.

Os ditadores da crueldade têm sob o próprio mando não somente os servidores que se corporificam na Terra, mas também os assalariados invisíveis que lhes estimam os propósitos inferiores. O homem que se transforma em instrumento da bondade e da salvação, ainda que não o saiba, recebe o concurso de muitos irmãos interessados nos serviços de elevação própria.

15.1 Em preparo

Depois de prolongadas meditações, alcançáramos o dia em que eu seria recebido no grande templo.

Marta e os amigos providenciaram todas as medidas suscetíveis de me intensificarem a felicidade.

Crianças do parque transportaram enormes braçadas de flores, alvas como neve, e, em nossa ditosa casa, música elevada se fez ouvir, por várias horas, advertindo-me a filha querida no sentido de manter a mente distanciada de todas as preocupações alusivas à experiência física.

Seria abraçado por muitos amigos, traçaria novas diretrizes para a luta e a preparação adequada constituía-me dever — informou a filha bondosa.

Antes da hora prevista, Andrade veio até nós, avisando-me que à noite, efetivamente, solucionaria meu problema de trabalho. Reencontraria muitos companheiros, mas eu longe estava de imaginar que reveria a maior parte dos próprios Espíritos com os quais havia convivido pessoalmente nas sessões e serviços realizados na Terra.

15.2 Em pleno santuário

À noite, quando as constelações se derramavam no céu muito azul, todos nós, em alva roupagem, tomamos o caminho do santuário.

No templo

No átrio fulgurante, esperavam-me muitos amigos do Espiritismo brasileiro. Estenderam-me os braços e, não obstante envergonhado por não possuir um halo brilhante, enquanto eles todos se mostravam envolvidos em auréolas luminescentes, penetrei o interior.

Subimos, subimos, até que, num salão adornado e amplo, vários irmãos que eu não conhecia me receberam generosamente.

Talvez inspirado por Marta, admirável grupo orquestral executou a *ouverture* de "La gazza ladra", de Rossini.

Com que emoção acompanhei a peça vazada em suave encantamento! Que saudades do meu antigo lar terrestre! A esposa e as filhinhas, educadas na elevada compreensão da arte divina, estavam vivas, dentro de mim... Que imenso o desejo de reuni-las de encontro ao peito e demorar-nos, assim, unidos em Espírito, eternamente!

Não contive as lágrimas copiosas.

Cessada a melodia, extenso grupo coral de meninos-orientadores entoou formoso hino intitulado: "O irmão que volta de longe".

Apesar da palavra amorosa de Bezerra, de Guillon, de Cirne e de Marta, eu nada podia responder. Alguma coisa me entravava a garganta. Sentia-me criança, de novo. Na tela da memória, revia minha abnegada e valorosa mãe, como se estivéssemos na Europa distante. Sentia-lhe o abraço carinhoso e ouvia-lhe a voz, às despedidas:

— Vai, meu filho! Trabalha dignamente, sê bom para Deus e para os homens! Um dia, ver-nos-emos, de novo, no lar...

Fitava as crianças a me sorrirem cantando, escutava os companheiros estimulando-me ao bom ânimo, reparava o ambiente doce e festivo, emoldurado em filigrana radiosa, e perguntava a mim mesmo se aquele não era o lar divino a que minha mãe se referia em meus dias de infância...

Centenas de entidades congregavam-se em torno, respeitosas, e, ao fundo, uma centena de Espíritos singularmente iluminados se mantinham em profunda concentração. Andrade mostrou-mos e esclareceu:

— Aqueles são vanguardeiros da pureza e da sabedoria, que fornecem fluidos para materializações de ordem sublime.

Não consegui enunciar a impressão que me causavam, em vista do pranto a embargar-me a voz. Entretanto, notei que, ao lado deles, vasta câmara lirial se prolongava, além, na parte da torre que ocupávamos.

Das janelas próximas, dominava grande parte da cidade com o olhar, maravilhando-me a contemplação da noite pacífica e formosa, repleta de harmonia e de luz.

15.3 Nova família de serviço

Possivelmente com o objetivo de arrebatar-me à extrema emotividade em que me envolvera, o irmão Andrade conduziu-me a largo recanto do recinto, apresentou-me algumas dezenas de companheiros tão obscuros quanto eu mesmo e explicou:

— Aqui, Jacob, se alinham os cooperadores do seu trabalho edificante, que prosseguirá mais ativo.

Choveram abraços de alegria e camaradagem.

Reconheci muitos deles, que haviam partido anos antes de mim.

Surgiu a conversação jubilosa e discreta. Alguns indagavam de meus derradeiros serviços doutrinários. Muitos se reportavam aos nossos encontros e reuniões em variados pontos do Rio. Diversos médiuns de meu conhecimento aí apareciam.

A nota predominante na palestra era a esperança no futuro.

Lastimavam todos, qual ocorria a mim mesmo, não haverem aproveitado as horas no corpo físico, dentro da eficiência desejável. Poderíamos ter concretizado muito mais o nosso idealismo cristão na causa que abraçáramos, se tivéssemos usado a aplicação com o mesmo ímpeto com que procurávamos conforto no campo do ensinamento.

Enfermos em cujo tratamento cooperara, através de passes, enalteciam a fé com que se haviam separado da carne e exprimiam o júbilo com que aguardavam a possibilidade de auxiliarem os entes queridos, ainda presos aos círculos terrestres.

Dentro de meu ser vibravam incentivos novos.

Não merecia semelhantes demonstrações de confiança e apreço, mas reaprenderia as lições e, se as autoridades superiores nos permitissem a congregação para o serviço útil, poderiam contar com as minhas energias apagadas e humildes.

Certo velhinho, que se afirmava assistente de meus trabalhos em Botafogo, informou-me de que muitos dos presentes eram elementos evangelizados em nossas próprias reuniões e preces. A maioria fora trazida de múltiplos lugares, depois de longas tarefas e provas de reajustamento, a fim de juntos recomeçarmos o trabalho.

Elucidou Andrade que eu poderia continuar repousando, ao lado de Marta, por mais tempo, e que, no instante oportuno, mobilizaria o grupo na assistência fraterna a que me dedicara nos últimos anos da experiência carnal, para que a desencarnação não me impusesse intervalo ruinoso às atividades.

Abracei os companheiros, um a um, extremamente comovido, e expliquei que não iriam trabalhar comigo, e sim eu próprio é que seria colaborador deles. Seríamos um conjunto de servos do bem, procuradores da luz no serviço digno. Constituiríamos uma só família, em nome do eterno Amigo e nosso Senhor Jesus.

15.4 Momentos divinos

Voltando à presença de Guillon e de outros amigos, reparei que o silêncio se fez profundo e indefinível.

Bezerra, nimbado de intensa luz, tomou lugar entre a grande assembleia e o conjunto de irmãos que oravam extáticos, e alçou ao Mestre divino sentida prece.

As palavras dele caíam-me na concha do coração quais fagulhas dum fogo celeste a sacudir-me as fibras mais íntimas, sem destruí-las.

Rogava, magnânimo, a Jesus me fortalecesse e me inspirasse, dentro do novo ministério.

Tão excelsas eram as expressões da súplica que estranho fenômeno se produziu ante meus olhos assombrados.

Ao toque da oração, os amigos iluminados se fizeram mais radiantes e mais belos, e as flores do recinto, como que nimbadas de oculto esplendor, passaram a irradiar maior brilho.

As lâmpadas, ali, eram as almas inflamadas de amor, e a claridade a derramar-se, intensificada e divina, não alarmava o coração.

Pétalas de fluidificada substância azul começaram a cair sobre nós, portadoras de delicado aroma, e se desfaziam, de leve, em nossa fronte, como se obedecessem ao amoroso apelo formulado pelo sublime irmão.

Marta amparava-me, porque as lágrimas de ventura, embora tranquilas, me faziam vergar, abatido e trêmulo...

Quando Bezerra terminou, oh! intraduzível maravilha!

Na câmara alva surgiu, de repente, uma estrela cujos raios tocavam o chão. Tão comovedoras vibrações se espalharam no recinto que não suportei a companhia dos iluminados.

Afastei-me instintivamente para a faixa a que se recolhiam os companheiros de organização opaca.

No templo

Marta seguiu-me, simbolizando um Anjo guardião pressuroso e terno, e, lembrando a hora em que a vi, carinhosa e linda, nos serviços de materialização do Pará, em 1921, enquanto eu ainda vestia a carne física, ajoelhei-me, humilde, no que fui por ela acompanhado.

Guillon e os outros me fitavam com lágrimas, e, contemplando a estrela que começava quase imperceptivelmente a tomar forma humana, gritei, em pranto, que eu não era digno daquelas manifestações de apreço e nem merecia a visita divina que principiava a revelar-se. Fortalecido por sobre-humana coragem, confessei minhas faltas e salientei meus defeitos, em alta voz, abertamente, sem omitir erro algum.

Declarei que, por mim, falava a sombra em que me envolvia e afirmei que não devia ser examinado por amigo, e sim julgado na qualidade de réu, passível de justa condenação.

Comovidos talvez pela exaltação a que me entregara, Guillon, Sayão, Cirne e Schutel deixaram a posição que ocupavam, vieram ter conosco e, reerguendo a mim e Marta, emocionados, sustentaram-nos, de pé, nos braços desvelados e amigos.

16
A palavra do companheiro

Por mais que tentem os mensageiros espirituais descrever a grandeza das demonstrações da alma eterna aos ouvidos do homem que se demora no mundo, jamais encontrarão recursos com que expressem a realidade.

Submetido a salutares limitações, o Espírito encarnado é incapaz de traduzir a beleza celeste. A sensibilidade educada na ciência ou na virtude percebe-a qual relâmpago fugaz, tentando aprisioná-la no verbo, no som ou na cor, acessíveis à apreciação humana; todavia, os artifícios da inteligência não bastam para a fixação da claridade divina.

Entre o êxtase e o assombro, notei que a estrela se transformava lentamente. Da nebulosa radiante alguém se destacou, nítido e reconhecível para mim.

Era o magnânimo Bittencourt Sampaio, cuja expressão resplandecente constituía o que imagino num ser angélico.

Cercavam-no vastas auréolas rutilantes.

Surpreendido e envergonhado, busquei recuar, mas não consegui. Tentei ajoelhar-me, mas Guillon sustentou-me nos braços.

Sem gestos convencionais, sem qualquer atitude que denotasse afetação, saudou a assembleia e encaminhou-se para mim, pronunciando frases que eu não merecia...

16.1 O julgamento em nós mesmos

Pousando a destra sobre a minha fronte, continuou, com nobreza e sinceridade:

— Jacob, fizeste bem, anunciando as próprias faltas neste plenário fraterno!

"A infinita Sabedoria instala tribunais para julgar aqueles que não a conhecem, porque a ignorância reclama lições, às vezes rudes, dos planos exteriores, mas os filhos do conhecimento santificante condenam ou salvam a si mesmos.

"Os surdos voluntários exigem fenômenos ruidosos, no terreno da expiação, para que se lhes desenvolva a acústica; e os cegos desse jaez pedem medidas espetaculares, nos círculos da dor, a fim de que se lhes dilate a visão...

"Para nós, porém, que aceitamos a graça da Revelação divina, semelhantes providências se fazem inúteis.

"A própria consciência lavra em nós irrevogáveis arestos. Somos o fruto de nossa sementeira.

"Erramos e acertamos, aprendendo, corrigindo e aprimorando sempre, até à conquista do supremo Equilíbrio.

"Não te prendas, pois, às sombras destrutivas do remorso ou da queixa.

"Quem terá passado incólume nos precipícios das paixões humanas, senão o Mestre amado e Senhor nosso? Que aprendiz terá alcançado todos os ensinamentos de uma só vez?

"Acalma o coração de discípulo e concentra as tuas esperanças nos dias abençoados do futuro!

"A morte para todos nós, que ainda não atingimos os mais altos padrões de Humanidade, é uma pausa bendita na qual é possível abrir-nos à prosperidade nos princípios mais nobres. Entesouraremos aqui para distribuir mais tarde bênçãos de vida imortal nas obscuras esferas da reencarnação. Respiraremos agora a harmonia e a paz a que fomos arrebatados, a fim de conduzirmos, depois, o seu sublime estandarte entre os companheiros que, ainda presos à carne, dormem nas trevas da discórdia e da ilusão.

"Somos células da Humanidade militante em busca da Humanidade redimida.

"Herdeiros de muitos séculos de experiência carnal, é impraticável a definitiva ascensão dum dia para outro.

"É indispensável planejar o bem e realizá-lo, semear a felicidade e colhê-la, à custa de trabalho pessoal no suor e no sacrifício.

"Descerra o pensamento ao orvalho do bom ânimo!

"Não te detenhas na aflição vazia!

"Regressaremos à escola da aplicação, na carne distante, e faz-se preciso amealhar energias novas para as recapitulações imprescindíveis".

16.2 Ante as bênçãos do serviço

Verificando-se ligeiro intervalo na palavra amorosa e venerável, desejei perguntar-lhe quanto à continuidade de meus trabalhos, em vista dos informes que ali recebera do irmão Andrade; todavia, antes que me expressasse verbalmente, confirmou, generoso:

— Desdobrar-se-á o serviço doravante em companhia dos mesmos associados de abençoada luta.

"Os círculos de vida que povoamos, agora, são de prosseguimento.

"Na experiência humana, temos a semeadura.

"Na vida espiritual que nos é acessível começa a colheita.

"O favoritismo não existe para o Governo universal.

"A infinita Sabedoria somente nos assinala através da Lei.

"Há Espíritos que se preparam no mundo para a bendita primavera de trabalho pacífico na esfera superior e há outros que se encaminham, voluntariamente, para o inverno de angústias e trevas, em seguida à perda do corpo.

"Todos aqueles que, de alguma sorte, estiveram em tua companhia na fraterna comunhão de interesses espirituais, constituem a legião afetiva, junto da qual seguirás caminho afora, na distribuição de amor, luz e verdade.

"Nossa ação mental nas estreitas linhas da existência física é simples ensaio para os serviços que nos aguardam a cooperação, depois da morte.

"Sobressaem, ao redor de nós, multidões necessitadas de iluminação redentora.

"É imprescindível não desanimar, nem estacionar.

"Conquistaste valiosas possibilidades de servir, pelos conhecimentos que adquiriste, e, se os negócios materiais terminaram com o atestado de óbito passado ao velho corpo, as tarefas edificantes prosseguem ativas, reclamando-te dedicação.

"Somos a caravana que jamais se dissolve.

"Mãos entrelaçadas no labor do bem, não repousaremos senão no Mestre que, de perto, nos segue a boa vontade.

"É necessário, Jacob, encontrar a paz, dentro de nós mesmos, na batalha pela vitória da luz, quanto o Senhor a demonstrou, perseguido e crucificado.

"Longe de nós o descanso destrutivo dos que procuram o Céu sem as credenciais do Reino divino em si mesmos".

16.3 As esquecidas virtudes da iluminação interior

Compadecendo-se de minhas lágrimas copiosas, ergueu-me o rosto com a destra e, fitando-me bondosamente, continuou:

— Lamentas não possuir, por enquanto, mais amplo desenvolvimento da luz interna; contudo, qualquer desalento de nossa parte, no esforço salvador, significa reação indébita de nossa vontade caprichosa contra os soberanos e justos desígnios de cima.

"Não nos detenhamos para examinar a exiguidade dos nossos recursos. Dilatemo-los, utilizando as possibilidades que Jesus nos confiou. Nas tropelias da agitação carnal, quase sempre nos esquecemos das virtudes suscetíveis de ser encontradas nos trilhos apagados e anônimos do vale. Nossa visão, em tais circunstâncias, jaz concentrada sobre o cume da organização social provisória a que servimos e da imaginária montanha das terrestres honrarias, coroada embora de vantagens respeitáveis, e esperamos o bem-estar e o prazer, a sagacidade e o domínio, as facilidades temporárias e as considerações fantasiosas ao nosso personalismo menos digno, olvidando completamente, às vezes, os dons sagrados do dever humilde e desconhecido.

"Cedendo à impulsividade que nos preside aos instintos primitivistas, despreocupamo-nos de adquirir simplicidade e amor, paciência e renúncia, resignação e esperança, dádivas de vida eterna que o Herói celestial nos ofertou aos pés da cruz!

"Impressionamo-nos com o Salvador, nas claridades sublimes da ressurreição, mas ignoramos o Mestre crucificado.

"Agrada-nos dispor, aborrece-nos obedecer.

"Buscamos a autoridade, desdenhamos a disciplina.

"Exercemos severo exame sobre os atos alheios, sem qualquer vigilância ao próprio coração.

"Entendemo-nos perfeitamente com o ruído e com a leviandade do mundo que nos cerca os sentidos inferiores, mas raramente nos comunicamos com o Espírito sublime do Cristo, na própria consciência.

"Sabemos cair depressa, contudo, dificilmente nos decidimos a levantar.

"Adornamo-nos com as flores de um dia e perdemos os frutos da eternidade.

"Habituamo-nos a pedir as bênçãos do Eterno e, quando as recebemos, dispomo-nos a dormir indefinidamente.

"Enchemos a Terra de palavras brilhantes, esquecidos de que a vitória no bem é mais concreta naqueles que ouvem o conselho sábio e o aplicam.

"É por isto, meu amigo, que chegamos sem lâmpada própria às eminências da vida, incapazes de contemplar o brilho solar pela nossa deficiência de luz.

"Todavia, o Todo-Misericordioso jamais nos cerra as portas do serviço de elevação.

"Aqui também encontrarás as bênçãos do atrito, no aproveitamento das quais acenderás a própria lanterna para a jornada.

"Sem as qualidades que nos santifiquem o caráter, dignifiquem a personalidade, espiritualizem o raciocínio e iluminem o coração, é impraticável a felicidade nos mais gloriosos mundos.

"A lâmpada pode ser acanhada e pobre; no entanto, se possui material equilibrado e perfeito para sintonizar-se com a sede da força, produzirá luz e beleza, em silêncio.

"Renovemo-nos, assim, aprimorando as nossas possibilidades interiores para que nos comuniquemos com o supremo Doador da Vida, através dos fios invisíveis de amor que o ligam com o Universo infinito.

"Deixa, Jacob, que rujam tempestades do mundo, esquece as recordações violentas do passado, emerge do "homem velho" e caminha para o Alto!

"Irradiar-se-á, então, tua luz brilhante e pura!

"Amemos o trabalho transformador!

"A vida nada deve aos inúteis.

"Somos ramos da videira divina e a nossa felicidade exige a seiva imortal que procede das raízes profundas. Sem esse alimento, convertemo-nos em galhos secos e improdutivos.

"Atravessa, corajoso, esta hora de transição. Reanima-te, no Senhor, e não desfaleças!...".

16.4 Ao fim da reunião

Em seguida, como se desejara subtrair-nos à ideia de cerimonial, passou a conversar naturalmente conosco. Referiu-se aos companheiros que lhe compartilham as atividades na esfera em que se encontra e entabulou particular palestra com Guillon sobre o evangelismo no Brasil e as angústias do mundo moderno.

Mais quatro entidades ligadas ao fraternal mensageiro se materializaram em figura harmoniosa e fulgurante.

Abraçaram-me com carinho e cantaram com os meninos-orientadores um hino suave consagrado a Jesus.

Em torno de mim, os doces entusiasmos da Boa-Nova traçavam planos de sagrada cooperação com o Cristo. Reportavam-se os amigos presentes às multidões de Espíritos fanatizados no mal e aos sofredores desencarnados de todos os matizes, examinando recursos para esclarecê-los, ampará-los e auxiliá-los; mas, apesar do interesse com que lhes registrava os projetos de renovação redentora, não tinha comigo senão lágrimas de compunção e reconhecimento.

Outros cânticos se fizeram ouvir comoventes e formosos e, quando Bittencourt Sampaio e os dele se despediram num deslumbramento de júbilo, senti o princípio de uma revolução interior, de profundas consequências em meu futuro. Perdera, momentaneamente, a curiosidade doentia que me orientara até ali. A claridade dos outros acentuara-me a obscuridade. Minha inquietação característica centralizara--se. Por que avançar no conhecimento cerebral, de alma às escuras? Cabia-me mudar de rumo. Na realidade, fora agraciado pela benevolência de muitos amigos que me rodeavam o Espírito de atenção e ternura, mas, nos recessos de meu ser jaziam os sinais de minha inadaptação ao Reino do Senhor que eu ambicionava servir; antes de estendê-lo aos outros, tornava-se indispensável construí-lo dentro de mim. Embora a beleza inesquecível daquela noite de amor, as graças recebidas confirmavam-me, no fundo, as primeiras impressões de que eu não passava de um mendigo de luz.

17
Na escola de iluminação

Infinita é a bondade do Senhor que não força a criatura e espera sempre!

Se fosse fustigado pelos amigos com palavras rudes, logo após a desencarnação; se me relembrassem descaridosamente os erros, talvez me refugiasse na própria resistência, acentuando as sombras que me dominavam a alma. Provavelmente inventaria recursos contra o serviço da Luz. As advertências, todavia, alcançavam-me, silenciosas. A assistência de minha filha, os cuidados do irmão Andrade, as palestras de Guillon e o devotamento de Bittencourt Sampaio transbordavam amor que renova e eleva sem alarde.

Ninguém me humilhava. Em vez disso, de todos recebia incentivo à melhoria própria.

Salutares modificações me alegravam, penetrando-me o coração, sem ruído.

Em razão de tudo isso, no dia imediato ao entendimento com Bittencourt, no grande santuário, trazia o Espírito mergulhado em reflexões graves e profundas.

Como receber companheiros para o trabalho se me sentia inapto e obscuro? No íntimo, pretendia absorver-me em preocupações esmagadoras, ganhar tempo aprendendo e servindo; no entanto, nos recessos da consciência perseverava a lembrança daquele ensinamento evangélico alusivo ao "cego guiando cegos". Não. Não deveria precipitar-me. Convinha meditar em oração, suplicando ao Senhor acréscimo de visibilidade espiritual. Era inadiável o meu reajustamento, antes de entregar-me a novas empresas.

17.1 Instituição renovadora

Nesse estado d'alma, recebi a visita intencional de Guillon, que me asseverou não ignorar quanto me ocorria. Atribuiu-me as dificuldades à transitória inadaptação à vida espiritual e aconselhou-me um curso rápido numa das escolas de iluminação existentes ali.

E como eu lhe pedisse ajuda, explicou-me, sorridente, que encaminharia a solução do problema com o irmão Andrade, esclarecendo, leal:

— Nesse serviço novo, Jacob, procure ser menino outra vez. Não guarde ideias preconcebidas. Esqueça o homem de negócios que foi, olvide a sua posição de comandante com subordinados e pessoas agradecidas à sua disposição. Chega sempre o momento em que nos cabe devolver ao Senhor as dádivas que nos empresta, a título precário. De mente lavada e fresca, você aprenderá melhor o sentido da vida real. Saber recomeçar aqui é uma ciência agradável e ao mesmo tempo complexa.

Ouvi-lhe atentamente o conselho e, depois de breve combinação com a filha, fui conduzido pelo irmão Andrade a uma das dependências do mesmo templo que visitáramos na véspera.

Algumas dezenas de Espíritos aí se achavam em contato com os instrutores.

Notei que as aulas iam animadas; todavia, não se revestiam de caráter solene e, por esse motivo, tornava-se difícil destacar professores e aprendizes.

Tudo simples e cordial.

Primava o ambiente pela expressão acolhedora.

Dissertações graves, em fraternidade envolvente.

Andrade confiou-me à proteção do gabinete administrativo e afastou-se, depois de explicar que me dedicaria ao aprendizado de apenas algumas semanas, por ser detentor de certa bagagem de conhecimentos elevados, recolhidos na esfera carnal, considerando-se que a maioria dos companheiros, ali estacionados nas lições diuturnas, disputavam, por enquanto, alguns recursos rudimentares da Espiritualidade superior.

17.2 Informações úteis

Vendo-me a sós com o instrutor que me atendia, surpreendido gravei suas palavras estimulantes e afáveis.

Revelava-se sinceramente interessado em auxiliar-me.

Conduzindo-me a extenso recinto da organização, falou-me, alegre e franco:

— Você apreciará ensinamentos e valer-se-á das possibilidades da escola, com a eficiência precisa, em meio de Espíritos que lhe são desconhecidos até agora. Em matéria de aprendizado iluminativo, as afeições terrestres nem sempre ajudam. Comumente perturbam, aliás. A conquista de luz interior demanda certa violência aos interesses do "eu" e os parentes ou afins, por vezes, tocados de afeição exclusivista, provocam vibrações de piedade malconduzida, de amor-próprio ferido, de melindres desnecessários e ciúmes nocivos. Isto, na maior parte das ocorrências, envolve a alma numa redoma de perigosa ilusão, tal como se um material isolante nos afastasse do clima real da vida. Cada qual de nós é um problema particular na Criação divina. Enfrentemos corajosamente os nossos enigmas. Se é preciso libertar das zonas inferiores o coração, para religá-lo aos planos mais elevados, tenhamos suficiente valor para fazê-lo. Em tarefa como a que se vai iniciar, a demora da mente nas fórmulas mais respeitáveis de retenção pode ser ruinosa.

Fitei o interlocutor, esperançoso e contente, e, talvez porque me observasse o juvenil anseio de aprender com proveito, bateu-me paternalmente nos ombros e rematou, sorrindo:

— Seja feliz! Lembre-se de sua necessidade de transformação salutar e prossiga fortalecido e sereno.

Daí a instantes, tomava lugar entre os assistentes.

Nenhum conhecido. Nenhum laço que me fizesse retomar mentalmente o passado.

Soube, aliás, mais tarde, que esse característico da instituição é providencial.

Ainda não nos achamos num campo de amor equilibrado. A herança do "círculo consanguíneo", da "simpatia incondicional", do "grupo sectário" ou do "impulso preferencial" ainda nos acompanha intensamente à esfera em que me reajusto. A autoridade superior nos permite conservar semelhante patrimônio em sua feição venerável de inclinação construtiva, durante o tempo que disputamos; todavia, no regime de aclaramento espiritual, é prudente agir contra qualquer situação exclusivista. Daí a conveniência da congregação de elementos neutros entre si, porque a amizade que aí se estabelece não tem os resquícios da paixão terrena que, mesmo em seu aspecto formoso e nobre, dentro do qual é aproveitada na elevação de nível cultural e sentimental do mundo, funciona contra a harmonia da mente, sem a qual é impossível acender a própria luz.

17.3 Em aprendizado

Dentro em pouco, familiarizara-me no curso. Destina-se a organização ao suprimento de valores educativos aos Espíritos procedentes da esfera carnal, mas sem grandes compromissos no desvio do bem.

É curioso notar que a maioria dos alunos se encontra na posição do homem necessitado de metal precioso, que houvesse demorado muito tempo, junto ao filão aurífero, esquecendo o próprio objetivo.

Os professores são incansáveis em esclarecer que na reencarnação temos o mais valioso instituto iluminativo, acentuando que, na realidade, todas as lutas terrestres objetivam redimir o Espírito e inflamá-lo de virtudes celestiais. Acrescentam, no entanto, que, chegado ao santuário do corpo físico, o homem olvida os imperativos de sua permanência nos vários degraus da preparação e passa a perseguir inutilidades ou vantagens efêmeras, quando se não arvora em observador tirânico ou impiedoso crítico dos próprios irmãos de luta. Vicia a mente na ociosidade, em face da gloriosa bênção recebida, e, muita vez, abandona a escola da carne, em deploráveis condições morais, pelos débitos assumidos no mau uso do livre-arbítrio perante as leis inelutáveis que governam a vida.

Em vez de respeitar o material de serviço redentor e mobilizá-lo em benefício de si mesmos, os aprendizes da sabedoria, na experiência terrena, inutilizam-no com indiferença, em prejuízo próprio, quando o não aproveitam, lastimavelmente, na perpetração de faltas criminosas. Porém, quando a alma se afasta do plano carnal seguida de valores intercessores do devotamento fraterno, pela boa vontade que demonstrou no serviço aos semelhantes, é-lhe permitido frequentar as instituições iluminativas, além da morte, com possibilidades na ação prática, entre os núcleos de entidades inferiores.

Compreende-se, então, que todos os conflitos da luta carnal se revestem de sublimes finalidades.

Na vida real do Espírito, o sofrimento perde o aspecto sombrio. Não é entendido tão somente por recurso expiatório ou regenerativo, mas também por bênção salvadora que aprimora e ilumina sempre. O homem agarrado ao prazer fácil de um minuto perde a bendita sementeira da eternidade. Somente por isso é que não extrai do obstáculo, da dor e da dificuldade o conteúdo de alegria imperecível que oferecem à alma.

Algo surpreendido, vim a saber que, se o solo bruto ajuda o lavrador e educa-o, através do trabalho que o melhora e enriquece, assim também as inteligências inferiores e rudes beneficiam os Espíritos superiores em conhecimento ou virtude, quando estes se interessam na dilatação de seus próprios poderes, tanto quanto numa agremiação escolar o lucro legítimo pertence àquele que ensina e se dedica à preparação de alunos distraídos ou ingratos.

Os casos agrupados na escola são dignos de menção especial. Os companheiros contam os mais interessantes episódios em matéria de fuga ao ensejo da felicidade definitiva. Escaparam ao tesouro da santificação íntima, deliberadamente, por infantil receio de sofrimentos e humilhações. Grandes e abençoadas oportunidades de subida, a luminosas culminâncias, foram perdidas; e agora, qual me ocorre, reparam o tempo menosprezado por intermédio de mais intenso labor.

17.4 Conceitos de uma cartilha preparatória

Do acervo de primorosos livros, cuja existência me foi permitido observar, um dos instrutores retirou certa cartilha de afirmações sintéticas destinadas a despertar a mente, recomendando-me acurada meditação na leitura.

Dentre o conjunto, posso destacar algumas que interessam, de perto, aos companheiros que se dispuserem a receber minhas despretensiosas notícias:

"Cada Espírito é um mundo vivo com movimento próprio, atendendo às causas que criou para si mesmo, no curso do tempo, gravitando em torno da Lei eterna que rege a vida cósmica."

"Dois terços das criaturas Humanas encarnadas na crosta da Terra demoram-se em jornada evolutiva da irracionalidade para a inteligência ou da inteligência para a razão; a terça parte restante acha-se em trânsito da razão para a Humanidade. Fora do corpo terrestre, mas ligados ao mesmo plano, evolutem bilhões de seres pensantes nas mesmas condições."

"Em esferas mais elevadas do planeta, outros bilhões de almas caminham da humanidade para a angelitude."

"O processo de educação do ser para a Divindade tem sua base no reencarnacionismo e no trabalho incessante."

"O instituto das compensações funciona igualmente para todos."

"Ninguém ilude as leis universais."

"Os recursos de dignificação da individualidade permanecem ao dispor da comunidade planetária nas diversas escolas religiosas da Terra, escolas que se diferenciam no culto externo, de acordo com os impositivos de espaço e tempo, mas que, no fundo e em essência, se irmanam na Fonte da Eterna Verdade, em que a integração da alma com a Luz divina se realiza por intermédio do supremo Bem."

"Jesus é o ministro do absoluto, junto às coletividades que progridem nos círculos terrestres; os grandes instrutores do mundo, fundadores de variados sistemas de fé, representam mensageiros dele, que nos governa desde o princípio."

"Toda criatura humana possui consigo as sementes da sabedoria e do amor; quando ambientar esses divinos germes, dentro de si mesma, e desenvolvê-los amplamente, através dos séculos incessantes, conquistará as qualidades do sábio e do anjo, que se revelam na sublime personalidade dos filhos de Deus, em maioridade divina."

Enquanto no corpo de carne, muitas vezes — apressadamente, como se devorasse qualquer alimento sem mastigá-lo — tomei conhecimento das instruções de ordem superior. Entretanto, ali, à vista das circunstâncias em que me encontrava, a leitura me obrigou a sérios pensamentos.

18
Ensinamento inesperado

Pessoa alguma escapará aos imperativos do próprio melhoramento. A criatura ignorante poderá refugiar-se na intemperança dos sentidos físicos, acreditando ser a morte o fim de toda a luta, e o homem instruído folheará páginas preciosas, imaginando-se exonerado da obrigação de ser útil ao próximo, no devotamento fraternal. Entretanto, para todos aqueles que se demoraram longe da ação edificante e renovadora, a vida espiritual reabre as portas do esforço pessoal imprescindível.

Os Espíritos preguiçosos atrasarão sua marcha, detendo-se na revolta, na inércia ou na rebeldia e serão aproveitados na obra regeneradora ou evolutiva, à maneira dos corrosivos que servem às tarefas de limpeza, utilizados por mãos hábeis; todavia, os filhos do arrependimento e da boa vontade encontrarão mil meios de agir e servir, no extenso campo do bem.

Assembleias veneráveis de benfeitores congregar-se-ão nos altos cimos em favor de milhões de seres, mas Espírito algum se sentará num trono que não edificou, nem brilhará com alheia lâmpada.

Apelos e consolos do campo mais nobre não devem ser interpretados exclusivamente como simples reconforto da proteção afetiva, mas, acima de tudo, por valiosas ferramentas de serviço redentor. Este é um ensinamento que estou aprendendo à custa de muito esforço e que os amigos esclarecidos da Terra possivelmente evitarão, valendo-se das oportunidades de elevação e aprimoramento que o mundo lhes oferece.

18.1 Experimentação

Certo companheiro de aprendizado convidou-me a experimentar praticamente as lições da escola iluminativa em que nos reajustávamos.

Iríamos ao Rio, onde recebêramos valiosas bênçãos da fé. Procuraríamos alguns dos casos de doutrinação e socorro, junto aos quais funcionáramos, e aplicaríamos, então, os princípios recebidos.

O orientador a quem expusemos o projeto aprovou-o, com evidente satisfação, mas considerou que deveríamos seguir em companhia de alguém mais apto que nós, de modo a não perdermos a semeadura. Indagou sobre as particularidades do empreendimento, e, depois de ouvir-me o colega, quanto ao que intentava efetuar, comentei o meu objetivo.

Lutara durante muito tempo com perigoso obsessor de um alcoólatra inveterado. Não conseguira demovê-lo, renová-lo. Gostaria de observar o caso *in loco* e, com as preocupações a que me compelisse, extrairia certa amostra do serviço maior que me aguardava.

O diretor ouviu pacientemente e não apresentou qualquer embargo, recomendando-nos, em seguida, à custódia do irmão Ornelas, veterano em trabalhos da espécie que pretendíamos atacar.

Em breve, achávamo-nos na cidade, à noitinha.

O companheiro que nos seguia de perto explicou que inúmeros irmãos de outros círculos, impossibilitados, por longos decênios, de retomar o corpo terreno, se dedicam a tarefas obscuras e sacrificiais, entre as almas endurecidas ou sofredoras, a fim de conquistarem, pela abnegação e pelo heroísmo silencioso, a irradiação luminosa que lhes falta. Vastos anos despendem no esforço de renúncia, adquirindo humildade no trato de almas rebeldes e ásperas, quais semeadores buscando a dádiva da flor e do fruto ao contato do chão bruto. Em geral, são homens e mulheres que se desmandaram na autoridade e no dinheiro, na inteligência ou na beleza, assumindo graves compromissos morais, que se consagram, depois do sepulcro, por extenso prazo, ao gênero de atividade que íamos tentar, em benditas peregrinações de auxílio aos semelhantes, ostentando aflitiva posição de servos apagados e anônimos para melhor atingirem os fins a que se propõem.

18.2 Ante um espírito perseguidor

O alcoólatra, cuja situação me levara a diversos serviços de preces e doutrinações nos últimos tempos de minha experiência no corpo, achava-se num bar suburbano a encharcar-se. Ao lado dele, o temível perseguidor dava expansão a impulsos menos dignos. Cada copo cheio era nova taça de venenoso fluido que ele aspirava com estranha volúpia.

Aproximamo-nos sem perda de tempo.

Antes de qualquer entendimento, Ornelas advertiu-me que, fora dos laços físicos, o socorro aos Espíritos transviados exige outros recursos, além das armas verbais. Achávamo-nos, ali, esclareceu prestimoso, sem o elemento controlador da mediunidade. Quando o instrumento encarnado jaz nas trevas da ignorância, a entidade em desequilíbrio absorve-lhe o aparelho completamente, raiando pela possessão absoluta e, então, verificamos nos círculos terrestres a exata reprodução da alma desorientada e desguarnecida de razão, oferecendo extensas mostras de loucura. A maioria dos médiuns, porém, ainda mesmo quando sonâmbulos puros, de algum modo controlam os comunicantes irrequietos ou infelizes, exercendo determinada censura sobre as palavras rudes ou inconvenientes que desejam pronunciar. Estaria naquele instante com um obsessor, frente a frente. Deveria preparar-me para demonstrar-lhe os melhores sentimentos do meu coração, porque, da parte dele, me daria a conhecer as notas mais íntimas da própria consciência.

Abeiramo-nos da dupla lamentável.

O verdugo fitava um copo vizinho, ao jeito do magnetizador interessado na presa. Era uma triste figura de vampiro que provocaria gestos de pavor nas pessoas em derredor, se lhe pudessem fixar a máscara diabólica.

Voltando-se para nós e sentindo-nos a observação calma, ao que me pareceu concentrou-se para melhor resistir-nos, sorriu escarninho e, detendo-se de modo especial sobre mim, gargalhou franco.

A princípio, molestei-me.

Experimentei mal-estar intraduzível.

O Espírito endurecido a envolver-se em sombria nebulosa arremessava contra mim forças envolventes e perturbantes.

Ornelas sacudiu-me os ombros vigorosamente e disse:

— Vejo-lhe a inexperiência. Não tema. Centralize a vontade e reaja com todas as energias de que dispõe. Prepare-se para ouvir e falar com serenidade. Suas condições psíquicas virão à superfície do rosto e do verbo. Não se deixe abater. Ajudá-lo-ei.

A advertência calou-me consoladoramente no íntimo, embora, na realidade, não conseguisse sofrear o receio, em face da agressividade do perseguidor, que se unia a mim com expressões provocadoras.

18.3 Diálogo surpreendente

Diante do temível algoz e sob a sua zona de influência sem o concurso de um médium, qual se verificava nas doutrinações de outro tempo, tive o impulso de adiar a experiência. Não seria melhor que eu me fortalecesse mais?

Ornelas, no entanto, com o olhar severo, impediu-me o recuo e, pousando a destra sobre minha fronte, aconselhou-me a prosseguir, prometendo inspirar-me nas observações convenientes.

Mantive-me seguro e fixei destemerosamente o obsessor. Percebendo-me a decisão, o infeliz recolheu os punhos cerrados com que me afrontava, colérico.

Entrementes, a colaboração magnética de Ornelas me alimentava, causando-me grande reconforto.

Foi assim o meu primeiro diálogo, após a morte, com um Espírito desviado do bem:

— Meu irmão — disse-lhe emocionado —, não se resolve a libertar nosso amigo doente, já de si mesmo tão miserável?

— E você nem mesmo depois de "morto" desiste de me apoquentar? — revidou o obsessor, raivoso.

— Sim, não desisto porque quero ser seu amigo e desejo trazer-lhe o Espírito para a luz.

— Mas não lhe vejo luz alguma. Como quer você dar o que não tem?...

A alegação chocou-me e, por pouco, não fugi ao entendimento; contudo, a mão vigorosa de Ornelas me amparava e respondi:

— Trabalharei sinceramente no bem até que a vontade do Senhor me ilumine a alma.

O perverso interlocutor riu-se, desrespeitoso, e prosseguiu:

— Por que insiste? Não adiantará nada...

— Fora da caridade não há salvação — retruquei, confiante. — Não julga ser nosso dever auxiliar o companheiro de mente enfermiça, ainda ligado ao corpo terrestre? Não lhe conhece a família respeitável e sofredora?

— Ora, Jacob — falou-me, contundente —, você se refere à caridade com tanta segurança...

— Como não? Que será de nós sem a prática do bem?

— Ao que me consta — exclamou sarcasticamente —, você na Terra dava grande preferência ao dinheiro, estimava profundamente a própria fortuna...

Nas minhas reações de "homem velho" quis dizer-lhe que era mais justo amar o próprio dinheiro que os bens alheios; todavia, a expressão fisionômica de Ornelas me susteve a frase de autodefesa e, em vez de proferi-la, acentuei com serenidade:

— Recebi as vantagens materiais hauridas no esforço digno, tal como o mordomo que detém consigo, transitoriamente, as dádivas do Senhor. O que o Todo-Poderoso me confiou já restituí, de consciência feliz, aos seus sábios desígnios.

O verdugo fez um esgar de ódio e voltou a comentar:

— Não lhe reconheço autoridade para conselhos. Você foi sempre um homem áspero, indisciplinado, voluntarioso. Muita vez, acabava de apontar-nos o bom caminho para seguir estrada contrária. Agora quer ser apóstolo...

Marcou um gesto ridículo, a fim de torturar-me e continuou:

— Frequentemente, após deixar os aparelhos mediúnicos através dos quais trocávamos ideias, eu lhe seguia os passos, discreto, e notava que você não agia de conformidade com os próprios ensinos.

Semelhantes frases, ditas à queima-roupa, desconcertavam-me.

Ruborizei-me, envergonhado; todavia, Ornelas garantiu-me a firmeza de ânimo.

— Sim — concordei —, reconheço as minhas fraquezas. Entretanto, sincero é o meu desejo de renovação e melhoria. Não nos santificamos de uma vez e, se todos os pecadores se negarem ao trabalho do bem, sob a alegação de se sentirem maus e ingratos, como poderíamos aguardar vida melhor para o mundo? Se os Espíritos comprometidos com a Lei não se resolverem a colaborar no resgate dos próprios débitos, por se reconhecerem endividados, jamais atingiremos a necessária liquidação das contas humanas. Compreendo que não sou um padrão vivo dos conhecimentos evangélicos, confiados à minha alma pela Compaixão divina. No entanto, creia que não repousarei enquanto não afinar minhas atividades com os ideais redentores que abracei.

O interlocutor não se alegrou com a argumentação. A lealdade de minhas declarações esfriava-lhe a cólera. Escutou, amuado, e, assim que o intervalo surgiu espontâneo, considerou menos irônico:

— Seu caso, então, será o do médico que deverá restaurar primeiramente a si mesmo...

— Não nego semelhante necessidade — acrescentei, sincero. Tudo farei pelo meu próprio restabelecimento espiritual. No serviço bem sentido e aplicado encontramos a corrigenda de nossos erros e a redenção do passado, por mais deplorável e delituoso. Acredite que o doente menos egoísta providenciará remédio e recurso para si e para os outros. Persistindo em sua atitude você prejudicará a si mesmo...

O desditoso, em crise de desespero, lembrou-me acremente certas falhas da experiência humana, em voz alta. Mas, auxiliado por Ornelas, eu ia encontrando meios de responder sem irritação, construtivamente.

Terminado o longo e desagradável diálogo em que me vi inesperadamente envolvido, aplicamos passes de socorro ao irmão encarnado, que se mantinha em aflitivas condições de enfermidade e embriaguez. Após enorme relutância, o terrível perseguidor consentiu em que eu orasse, colocando-lhe a cabeça entre as minhas mãos. Supliquei ao Senhor fervorosamente que nos amparasse, a ele e a mim, para que pudéssemos melhorar o coração e subir no conhecimento e na prática do bem.

Finda minha primeira observação pessoal de serviço, o obsessor fitou-me de maneira diferente. Pareceu-me não tanto agressivo. Revelava-se disposto a entender-me a disposição fraterna. Porque eu esperasse maior soerguimento, habituado ao imediatismo da luta terrestre, Ornelas despertou-me, exclamando:

— Não aguarde um reajustamento apressado. Se a semente exige tempo, com o frio e o calor, a chuva e o sol, para germinar e produzir, por que motivo reclamar a realização de Espiritualidade superior, de minuto para outro, no ser eterno? Plantemos e trabalhemos. Os resultados da boa iniciativa pertencem a Deus. Sobra-nos, meu caro, o prazer de servir. Tornaremos à questão na primeira oportunidade.

Admirado com a paciência do companheiro, segui-o sem hesitar.

18.4 Apontamento salutar

Quando o colega que nos seguia atendeu à tarefa a que se reservara, Ornelas percebeu a tristeza que me acometera de súbito. Efetivamente, graves reflexões acudiam-me ao pensamento.

Afinal, quem doutrinara no caso? Seria eu o portador de socorro ao Espírito infeliz ou fora o Espírito sofredor quem me beneficiara com a verdade?

Sombrio véu de preocupações descera sobre mim.

Como prosseguir? Não ignorava que um grupo de cooperadores decididos e fiéis me esperavam o concurso.

O companheiro mais experiente, compreendendo quanto se passava dentro de mim, aproximou-se enquanto regressávamos ao domicílio, em plena noite, e falou com cativante inflexão de bondade:

— Jacob, em toda parte seremos defrontados pela própria consciência. Se louvamos nossos amigos pelo incentivo e pelo júbilo que nos proporcionam, agradeçamos aos nossos adversários gratuitos a ousadia com que nos demonstram as nossas necessidades. Os que nos amam destacam-nos as qualidades excelentes do serviço já feito, na individualidade imperecível, e aqueles que nos desestimam indicam, com franqueza rude, as imperfeições que ainda conservamos conosco. Os afeiçoados e simpatizantes silenciam a respeito das sombras que nos rodeiam, mas os contendores e desafetos as desvendam em nosso proveito, quando encontramos suficiente serenidade para buscar os interesses do Senhor e não os nossos. Na sua capacidade de tolerar as observações amargas reside a base da própria iluminação. O progresso é obra de esforço mútuo. O irmão perturbado beneficiou-se extensamente com o seu concurso valioso e, gradativamente, fixará nele mesmo a esmola recebida. Porém, não é razoável que você venha a perder sua parte. Guarde o ensinamento, medite-o e conserve-lhe o valor. É provável que você agora se sinta afrontado e ferido; todavia, os dias correrão sobre os dias, e concluirá, mais tarde, que não lhe falo sem razão sólida.

Ensinamento inesperado

O conselho refrigerou-me a alma dilacerada. Pela primeira vez, compreendi que assim como chega um momento em que os juízes do mundo são julgados pelas obras que realizaram, surge também o minuto em que os doutrinadores da Terra são doutrinados pelos serviços que deixaram de fazer.

19
A surpresa sublime

Aprender será sempre valioso trabalho para o coração. Logo após minha vinda, observando que o combate pela extensão do bem se desdobra em todas as direções, acreditei na possibilidade de prosseguir no mesmo diapasão de atividade intensiva a que me consagrara na Terra.

A luz interior revelada por vários amigos, sem que a mínima réstia de claridade me assinalasse a presença, constituíra a primeira evidência a sugerir a modificação de minha atitude mental.

De que me valeria o demasiado movimento, sem probabilidades de realização benéfica?

Ali, o serviço pautava-se em linhas diferentes.

Dentro do novo plano, a garantia do êxito permanece exclusivamente no indivíduo.

Meu impulso de disputar qualquer tarefa esmorecera.

Tal como o veículo precisa de combustível para se locomover, necessitava eu do fator *qualidade* para a nova luta em que ingressara.

Semelhante impressão jazia mal esboçada em mim, quando o encontro com o infeliz perseguidor me impôs violentamente. Dele ouvira referências amargas que me dilaceraram o ser; entretanto, reconheci tamanho proveito nas reprimendas recebidas, que julguei precioso serviço continuar registrando as impressões das almas perturbadas, a meu respeito. Não seria esse o recurso de traçar com segurança o meu próprio plano de realizações vindouras?

Depois da morte, o julgamento, por mais desagradável, é uma bênção. Pouco a pouco entendi que era necessário ouvir com humildade, a fim de agir com proveito.

O contato direto com um obsessor vulgar aclarara-me a consciência. Salientara ele as sombras que ainda me envolviam e que os abnegados amigos da primeira hora velavam, movidos de piedade evangélica.

É imprescindível evitar a precipitação, e meditar antes de atacar novas obras.

19.1 Reajustamento

Desejando preparar-me convenientemente, a fim de servir, passei a visitar, sozinho ou acompanhado de outros colegas, as mais diversas associações de Espíritos endurecidos e sofredores.

O irmão Andrade, Marta e outros amigos que me prestavam contínua assistência, atentando agora para as minhas necessidades de reajustamento, deixaram-me sob o exclusivo cuidado da escola de iluminação, que passei a frequentar carinhosamente. Cada lição era nova página de sabedoria reveladora, concitando-me ao desejável aprimoramento.

Procurava, pois, nas demonstrações práticas, despertar minhas energias superiores, com a juvenil atenção do universitário dedicado aos livros, interessado em organizar conscienciosamente o próprio futuro.

Era preciso buscar humildade no autoconhecimento, através das acusações merecidas ou imerecidas? Não me faltaria coragem para fazê-lo. Sempre que os intervalos naturais dos estudos e tarefas do instituto iluminativo me favoreciam, dirigia-me incontinente para as zonas de Espíritos transviados, exercitando a minha capacidade de suportação.

Da boca de inúmeros infelizes e ignorantes, ouvi longas recordações de meus atos. Criticavam-me acerbamente, discutiam-me propósitos e intenções. Antigas faltas de épocas recuadas, que eu supunha esquecidas, eram trazidas à tona dos remoques verbais. Erros da mocidade, omissões da idade madura, gestos eventuais de aspereza, pequenas promessas não cumpridas, problemas de sentimento não liquidados, tudo, enfim, era revolvido pelos inimigos do bem, dos quais me aproximei nas melhores disposições de entendimento fraterno.

Consoante as lições novas, armazenava semelhante material, com o cuidado do homem prevenido que guarda lanternas adequadas para as horas escuras. Em muitas ocasiões, afastei-me do campo de luta, em lágrimas, considerando as alegações que me eram atiradas em rosto. Mas... Que fazer? Esse, sem dúvida, era o melhor caminho para identificar os próprios defeitos e extirpá-los.

Há companheiros que não se resignam a esse gênero de esforço; no entanto, para ganhar tempo, observei, desde o primeiro instante, que nesse processo de esclarecimento é possível abreviar a própria renovação para o bem e limitar grandes lutas.

19.2 Vivendo as lições

Por mais de duzentos dias, consagrava-me à teoria de iluminação na escola e à prática intensiva dos ensinamentos, junto

A surpresa sublime

aos irmãos desventurados, quando, certa noite, de volta ao lar espiritual, sozinho, fui assaltado por furioso grupo de clérigos desencarnados, os quais evidenciavam, nas palavras e nos gestos, profunda ignorância e lastimável insensatez. Ao que me pareceu, vinham intencionalmente em meu encalço, tentando infundir-me desequilíbrio e terror. Embuçados em capuzes de trevas, contei-os um a um. Eram dezesseis figuras de aspecto sinistro. Acercaram-se de mim, violentos e sarcásticos. Rememoravam os ataques que, por vezes, impensadamente, desfechara eu sobre os padres. Cobriram-me de insultos e ameaçaram-me sem compaixão. Relembrei a antipatia que indevidamente lhes dedicara à classe respeitável, e, satisfeito, reconheci-me transformado, diferente. Aqueles punhos cerrados e erguidos contra mim não me intimidavam e nem me sugeriam reação. Achava-me tranquilo, não obstante surpreso.

Trouxe, contudo, à memória as lições evangélicas de que me achava em pleno curso e, isolando a mente da gritaria infernal, pus-me em meditação.

Não nos aconselhara o Senhor a orar pelos que nos perseguem? Não exemplificara a permuta do bem pelo mal? Não nos pedira Ele ajudar os inimigos e amparar os que nos caluniam e odeiam? Além disso, não seriam aquelas almas dignas de ajuda e piedade? Possivelmente, várias circunstâncias haviam conspirado na existência terrestre contra os seus ideais de melhor sorte. Se a Providência divina não me oferecesse recursos de mais amplo conhecimento da vida; se fosse obrigado, no princípio da luta humana, a demorar-me nas fórmulas de fanatismo religioso, teria alcançado suficiente energia para libertar-me? E se o padre houvera sido eu? Como toleraria as disciplinas? Teria bastante coragem para arrostar os obstáculos impostos pelas vaidades da posição, decorrentes dos compromissos eclesiásticos? Solucionaria sem perturbações os problemas do partidarismo dogmático? Afinal, por que irritar-me? Quem merecia mais compaixão? Eles, que se achavam na desventura de ignorarem o Cristo da bondade e do entendimento, ou eu, que já compreendia de algum modo a necessidade de trabalhar, lutar e sofrer pela redenção própria?

Tocado por sincero desejo de auxiliá-los, entreguei-me à prece, não como de outras vezes em que emitia palavras de louvor e súplica com bases menos profundas no sentimento.

Intentava, com toda a alma, ser útil àquela falange de entidades inconscientes. Em verdade, não possuía algo de bom em mim mesmo; entretanto, Jesus permanece rico de bondade e ternura em todos os dias da vida. Atender-nos-ia o apelo, viria em socorro de nossas necessidades...

Decorridos alguns minutos, observei que, ao me contemplarem em oração, os circunstantes se afastaram um tanto, embora continuassem a crivar-me de doestos e zombarias.

Quando me detive na rogativa ao divino Amigo, reportando-me às aflições que aquelas almas infelizes naturalmente deveriam experimentar ao longo do caminho regenerador, e refletindo quanto às angústias de que se veem acometidas, impressionante silêncio se fez em torno.

Nunca talvez como naqueles momentos me senti tão fortemente interessado por alguém, qual se estivesse disputando auxílio para irmãos ou filhos de meu próprio ser.

Quando descerrei as pálpebras úmidas pelo pranto de emotividade a que a prece me conduzira, notei que os adversários se afastavam cabisbaixos e vencidos.

Procurei invocar-lhes o regresso, a fim de conversarmos fraternalmente, mas a voz jazia sepultada na garganta.

Sobreveio o imprevisto.

Tomado de assombro, verifiquei que branda luz de um roxo carregado brilhava em torno de mim.

Oh! Senhor, como pintar a comoção da alma livre aos companheiros que ainda se encontram jungidos às limitações da carne?

19.3 Novo despertar

Surpreendido com semelhante luminosidade, senti-me chumbado ao solo. Quem a estaria irradiando a meu lado?

Cerrei os olhos novamente para agradecer a presença do benfeitor que, por certo, ali se encontrava junto de mim; no entanto, apesar de recolher-me à intimidade do próprio "eu", via ainda os raios a se renovarem no meu íntimo.

Intrigado, refugiei-me de novo na prece, em silêncio, quando em meio da massa luminescente lobriguei o vulto de alguém que procurava evidenciar-se. Era Bittencourt Sampaio a estimular-me o coração para o bem. Não se revelava tão nítido quanto na noite inolvidável de nosso encontro no santuário, mas não tive qualquer dificuldade para reconhecê-lo.

— Jacob — disse ele, depois de algumas palavras de encorajamento e saudação —, não te admires da claridade que te rodeia.

"Ela pertence a ti mesmo. Nasce de tuas energias internas, orientadas agora para a Bondade suprema.

"A concentração de amor verdadeiro produz bendita claridade na alma.

"A luz é substância divina gerada nas fontes superiores do Espírito eterno.

"Feliz de ti, que compreendeste sem tibieza a necessidade de alijar os próprios caprichos para que a vontade do Senhor te favorecesse o santuário da consciência.

"A mente que atira para fora de si o obscuro e pesado material dos interesses menos dignos prepara-se valorosamente para o celeste sinal da irradiação espontânea.

"As preocupações indesejáveis passaram.

"Principiaste a renunciar com sinceridade ao "homem velho" e a "criatura nova em Cristo" se vai formando em teu coração.

"Bendita seja a tua esperança!

"Não te esqueças de que o amor dá sempre, principalmente de si mesmo, de suas próprias forças e alegrias.

"Por agora, os raios de tua boa vontade brilharão nas horas culminantes da fé, pela concentração de poderes espirituais na prece; todavia, à medida que te recolhas no exercício legítimo do amor cristão, em demonstrações genuínas de entendimento do Evangelho sentido, vivido e aplicado, controlarás tua capacidade irradiante, segundo os ditames da própria alma!

"Ama sem paixão, espera sem angústia, trabalha sem expectativa de recompensa, serve a todos sem perguntar, aprende as lições da vida sem revolta, humilha-te sem ruído ante os desígnios superiores, renuncia aos teus próprios desejos, sem lágrimas tempestuosas, e a vontade justa e compassiva do Pai iluminar-te-á constantemente o coração fraterno e o caminho redentor!

"Ora, vigia, movimenta-te no esforço digno e sê feliz, meu amigo! A tua luz crescerá com a dilatação de teu devotamento ao Bem infinito."

Que expressões terrenas poderiam dizer da sublime surpresa que me ofuscava o espírito? Não conseguiria responder.

19.4 Sábio aviso

Doce e indefinível emoção fazia-me vergar sob o peso de lágrimas de reconhecimento e júbilo.

Reparando que o mensageiro se conservava em silêncio ao meu lado, esperando que me pronunciasse, recordei o ensinamento evangélico e repeti as sagradas palavras:

— Faça-se no escravo a vontade do Senhor.

E porque vibrasse no desejo de relacionar minhas experiências novas para os companheiros da retaguarda, supliquei lealmente:

— Bittencourt, meu amigo, no plano da carne, nossos irmãos em maioria guardam errado conceito de elevação e salvação. Muitos se acreditam privilegiados por apresentarem um simples título de crença religiosa, e outros supõem que basta o dever de assistência caridosa e mecânica ao próximo necessitado e sofredor para que subam inconscientemente aos mundos felizes. Poucos se previnem quanto à exigência de aprimorarem a si mesmos, a fim de irradiarem somente o amor que o Mestre nos legou. Ser-me-á permitido dar-lhes notícias da esfera nova? Talvez minha humilde experiência pessoal aproveite a alguns deles para que se decidam a praticar o Evangelho e a servi-lo, acima de si mesmos, com esquecimento da vaidade e do orgulho, do egoísmo e da discórdia, que, muitas vezes, nos requeimam o coração!

— Sim, Jacob — concordou, atencioso —, serás autorizado a fazê-lo; entretanto, contém os impulsos que te sugerem a iniciativa. Evita as referências pessoais em teu correio fraterno. Em muitas circunstâncias, a citação de um simples nome provoca enormes perturbações mentais em torno da criatura a quem nos referimos. Não tentes impor convicções a Espírito algum, ainda mesmo em se tratando dos mais profundamente amados. Conta o teu caso tranquilamente aos que te puderem ouvir longe da curiosidade enfermiça que nunca se anima ao trabalho sério, sem olvidares a função do tempo na sementeira da fé. Aprende a esperar no serviço edificante, impessoalizando as boas obras. Guarda-te do mau desejo de tudo dizer indiscriminadamente a um só minuto. Há ocasião de plantar e cultivar, colher e selecionar. A verdade é como a luz que, não convenientemente dosada, pode cegar os olhos ao invés de iluminá-los. Transmite, pois, as tuas notícias, prudentemente, sem a presunção de seres aproveitado e aceito no imediatismo da luta humana, e acalma-te sem demora, convencido de que toda criatura, tanto quanto aconteceu conosco, deixará, um dia, o patrimônio da carne, com tudo o que lhe diz respeito no campo da ilusão educativa ou na sombra devastadora. Ajuda a planta a desenvolver-se e florir, mas não lhe violentes o germe a fim de que o fruto apareça no momento preciso.

Em seguida, Bittencourt despediu-se com palavras reconfortantes e amigas, deixando-me na consoladora certeza de que me seria possível esclarecer os irmãos de luta e de ideal, quanto às surpresas que me haviam aguardado além da morte.

Que alegria maior poderia felicitar-me o coração de lutador?

20
Retorno à tarefa

O trabalho é das maiores bênçãos de Deus no campo das horas. Em suas dádivas de realização para o bem, o triste se reconforta, o ignorante aprende, o doente se refaz, o criminoso se regenera.

Agora que alguns raios de luz se faziam sentir dentro de mim, buscava penetrar a grandeza do ato de orar e meditar.

Pouco a pouco, perdi o interesse pelas indagações de toda sorte e, quando em palestra com os amigos do meu novo círculo, sabia guardar as conveniências da palavra oportuna.

Entendi que receber distinções é acrescentar a responsabilidade individual e, por isso, aprendi a louvar o supremo Poder sem solicitações particulares em meu benefício. Compreendi que praticar o bem, dando alguma coisa de nós mesmos, nas aquisições de alegria e felicidade para os outros, é o dom sublime por excelência e, em razão disso, preparava-me para ser mais espontâneo e desinteressado no concurso fraterno, mais eficiente e pronto na ação de servir.

Longas conversações sem vantagens fundamentais para a vida do Espírito perderam o sabor com que se me apresentavam, a princípio, quando interpelava Marta e o irmão Andrade a propósito de mil assuntos diferentes.

Suportava, sereno, as compridas palestras com entidades sofredoras, necessitadas de desabafo, valendo-me de tais ocasiões para a ministração de ensinamentos redentores aos quais se mostrassem inclinadas, mas sentia-me incapaz de tomar tempo aos companheiros de serviço com interrogações ociosas ou prematuras.

Asseverou-me Bezerra, certo dia, que o entendimento da alma é qual lente minúscula no seio da infinita Obra universal e que o problema primário da consciência interessada na aquisição de amor e sabedoria não é o de perscrutar, com infantilidade ou desespero, os patrimônios da vida, e sim o de enriquecer a lente da própria compreensão, aprimorando-a e dilatando-lhe o poder, a fim de que possa refranger e disseminar a eterna grandeza do Senhor, aproveitando-a para si e para os outros.

Aceitei, feliz, portanto, o imperativo de recolhimento espiritual e quanto mais buscava entender a pequenez de minha alma e as minhas gigantescas necessidades de autorrenovação, mais reconforto e paz recolhia da prece que para meu pensamento constituía agora vigoroso manancial de recursos, de cujas forças irradiantes recebia dobradas possibilidades de atacar os novos serviços.

20.1 Conselho fraterno

Sentindo-me incapaz de reiniciar a tarefa, procurei Bezerra para aconselhar-me.

O grande orientador recebeu-me com a bondade habitual e explicou, gentil:

— Jacob, se os nossos irmãos ignorantes, depois da morte do corpo, na maioria das vezes prosseguem algemados às ações ruinosas a que se dedicaram, continuamos, por nossa vez, nos serviços de espiritualização a que nos devotamos. Sentimo-nos abrasados na sede de conquistar gloriosos cumes, pretendemos adquirir mais luz, mais alegria e vida abundante, de modo a enriquecer a estrada que trilhamos; entretanto, o milagre de nossas antigas concepções terrestres não existe. O Céu é suficientemente iluminado e jubiloso para cogitar de arrebatar-nos; a nós mesmos compete despir os véus de sombra e eliminar os espinhos do sofrimento que decorrem do nosso desacordo com a Lei e conquistá-lo, começando semelhante serviço em nossa própria alma. O seu trabalho, pois, é de prosseguimento. Organize um entendimento com os amigos de sua boa luta e retorne aos processos de auxílio. Cada setor de atividade cristã, junto de irmãos obsidiados, doentes, desorientados, ignorantes, criminosos ou infelizes, encarnados ou desencarnados, representa um ângulo da construção de seu próprio paraíso. O Espírito vale pelas expressões divinas que pode traduzir no próprio caminho, porque o Criador atende a criatura, através da criatura. Regresse, contente, aos seus casos de socorro. Representam eles a sua melhor oportunidade de servir ao Senhor. Ajudando, libertando e iluminando os outros, você auxiliará, melhorará e engrandecerá a si mesmo.

Porque lhe endereçasse algumas palavras com referência ao *recomeço*, sugeriu me concentrasse atencioso para recordar todos os serviços dos últimos dez anos, de modo a estabelecer um programa criterioso e metódico.

Findo o nosso entendimento, isolei-me para a rememoração necessária.

Com que imensa clareza lembrava os incidentes!

Tive a ideia de que maravilhoso disco de imagens era acionado dentro da minha imaginação, projetando, devagar, sobre a minha retentiva, todos os quadros vividos no último decênio.

Anotei quanto me era preciso para a volta ao ministério que encetara, ao abraçar os princípios evangélicos na esfera carnal.

Logo após, com a colaboração do irmão Andrade, providenciei um encontro com todos os cooperadores, junto dos quais meus humildes esforços doravante se desdobrariam.

20.2 Ante os serviços novos

A reunião com os amigos foi confortadora e interessante. Três quartas partes das entidades presentes ligavam-se a mim através dos trabalhos de doutrinação que efetuara nos círculos terrestres. Remanescentes renovados de antigas agremiações de Espíritos obsessores, ainda incapazes de sintonia com os planos mais elevados, buscavam em mim proteção e arrimo, receando a influência de malfeitores cruéis que os tiranizavam.

Guardava comigo a responsabilidade de lhes haver descortinado os horizontes da vida superior, mas eles continuavam necessitando o concurso de alguém que os ajudasse na movimentação dos recursos não muito complexos de que eram detentores, tanto quanto minha situação reclamava companheiros para as obrigações que me cabia desempenhar. Permanecíamos todos na posição dos discípulos de boa vontade que, não obstante o devotamento às lições, não conseguem agir sozinhos.

A palavra dos colaboradores expunha-lhes as esperanças no futuro, compelindo-me a refletir nos graves deveres que assumia. Aguardavam a alegria de laborar no próprio aperfeiçoamento. Disputavam forças para a melhora de si mesmos. Traçavam planos de serviço, com entusiasmo confiante. Dirigiam-se a mim, qual se lhes fora um chefe seguro.

As noções de responsabilidade penetravam-me o âmago.

Não registrava as confidências dos amigos, com o otimismo fácil de outro tempo. Recebia-lhes as observações e pareceres, ponderando as dificuldades que sobreviriam. Achava-me realmente confortado ante a possibilidade de absorver-me na ação edificante; todavia, pesadas reflexões dominavam-me por dentro.

Examinamos e discutimos variados casos de obsessões, perseguições e enfermidades, em cuja zona sombria deveríamos penetrar. Recordamos o imperativo de incentivar a cooperação de diversos companheiros, ameaçados pela treva do desânimo e da discórdia, a fim de não imobilizarem a mente e os braços entre os sofredores do mundo.

O amigo Andrade, presente à reunião, asseverou sensatamente que é tão difícil modificar as disposições de um Espírito perseguidor e vingativo, quanto reerguer um irmão entregue ao desalento.

Nesses minutos de sadia fraternidade, recebi notícias diretas de todos os processos de socorro, nos quais tivera a alegria de funcionar nos últimos anos e, resumindo longas demonstrações verbais, concluímos que era imprescindível atacar o trabalho, semeando o bem. A morte não interrompe o bom combate da luz contra as sombras; intensifica-o, aliás, dilatando o conhecimento divino em derredor do servo operoso e fiel. Constituiríamos, pois, um conjunto de servidores do Evangelho da Redenção, interessados em estendê-lo, dentro do mais amplo dinamismo espiritual.

Estaríamos sediados, ali mesmo, no pequeno burgo onde Marta me aguardara, cheia de carinho e dedicação.

Com os recursos intercessores de Bezerra, todos os nossos problemas de localização e movimento de serviço foram solucionados satisfatoriamente.

20.3 Assembleia de fraternidade

Foi assim que designamos nova data para as bases definitivas da fase diferente de trabalho.

No dia marcado para essa assembleia de fraternidade, as árvores acolhedoras que nos cercavam a moradia mostravam-se também mais formosas e mais serenas, oferecendo flores abertas que pareciam proclamar-nos a esperança nos frutos do porvir. Pássaros alegres cantavam nos ramos, augurando-nos sublime alegria...

Desde as horas da manhã, grupos de amigos começaram a chegar. Os minutos deslizaram encantadores e de mim não saberia expressar o júbilo que me dominava as fibras mais íntimas. À noitinha, Bezerra, Sayão, Guillon, Cirne, Inácio Bittencourt, Rosenburg, Frederico Júnior, Ulisses, Tosta, Casimiro Cunha, Batuíra, Romualdo de Seixas, Petitinga, Emmanuel, André Luiz e muitos outros trabalhadores do Cristianismo Redivivo, no Brasil, permaneciam conosco, encorajando-nos os corações.

Iniciados os trabalhos de comunhão fraternal, diversos orientadores presentes exortaram-nos ao ministério da ação evangélica; e Bezerra de Menezes, conduzindo a parte final, comentou a grandeza da vida que se desdobra, infinita, em todos os ângulos do Universo e a divindade do trabalho edificante que nomeou por escada iluminativa cujos degraus nos conduzem até à fonte augusta da Criação. Explanou sabiamente, com referência aos serviços que nos competiriam de ora em diante e reportou-se aos tesouros da boa vontade, arrancando-nos lágrimas de esperança e contentamento. Por fim, num gesto que provocou alegria geral, convidou André Luiz a fazer a prece de encerramento, aludindo aos seus trabalhos informativos da nossa esfera de ação. O estimado médico da Espiritualidade ergueu-se e orou comovidamente:

Retorno à tarefa

Senhor Jesus,
Dá-nos o poder de operar a própria conversão,
Para que o teu Reino de Amor seja irradiado
Do centro de nós mesmos!...

Contigo em nós,
Converteremos
A treva em claridade,
A dor em alegria,
O ódio em amor,
A descrença em fé viva,
A dúvida em certeza,
A maldade em bondade,
A ignorância em compreensão e sabedoria,
A dureza em ternura,
A fraqueza em força,
O egoísmo em cântico fraterno,
O orgulho em humildade,
O torvo mal em infinito bem!

Sabemos, Senhor,
Que de nós mesmos
Somente possuímos a inferioridade
De que nos devemos desvencilhar...
Mas, unidos a Ti,
Somos galhos frutíferos
Na árvore dos séculos
Que as tempestades da experiência jamais deceparão!...
Assim, pois, Mestre amoroso,
Digna-te amparar-nos
A fim de que nos elevemos
Ao encontro de tuas mãos sábias e compassivas,

Que nos erguerão da inutilidade
Para o serviço da Cooperação divina,
Agora e para sempre. Assim seja!...

20.4 Recomeço

A oração terminou num deslumbramento de luminosidade e alegria, a estender-se além de nós...

Que poderia dizer, em sinal de reconhecimento? De meu júbilo falavam as lágrimas copiosas a me borbulharem dos olhos.

Fizeram-se as despedidas e, em breve, enquanto os companheiros de minha nova luta repousavam no domicílio que nos abrigaria o pensamento orientador, vi-me sozinho, sob o arvoredo banhado de luar. Nos céus, brilhavam aquelas mesmas estrelas que, de quando em quando, me habituara a contemplar da crosta da Terra e, meditando, de alma feliz, sobre o dia seguinte, em que retomaria o mesmo abençoado trabalho que encetara entre os homens, roguei, em silêncio, a bênção do Eterno, para que me não faltassem a luz e a paz, o equilíbrio e a coragem na tarefa bendita do *recomeço*.

Notas da Editora

Notas da Editora, relativas a algumas das personagens citadas neste livro:

BATUÍRA, cognome de Antônio Gonçalves da Silva — Pioneiro do Espiritismo em terras de Piratininga (Desencarnou em 1909).

BEZERRA DE MENEZES, Adolfo (Dr.) — Presidente da FEB em 1889 e de 1895 a 1900, quando desencarnou.

BITTENCOURT SAMPAIO, Francisco Leite de (Dr.) — Poeta, escritor, médium receitista e membro do "Grupo Confúcio" e do "Grupo Ismael" (Desencarnou em 1895).

CASIMIRO CUNHA — Poeta, cego desde a idade de dezesseis anos, colaborava em *Reformador* (Desencarnou em 1914).

CIRNE, Leopoldo — Presidente da FEB, de 1900 a 1914 (Desencarnou em 1941).

FREDERICO Pereira da Silva JÚNIOR — Médium do "Grupo Ismael" durante 34 anos (Desencarnou em 1914).

GUILLON RIBEIRO, Luís Olímpio (Dr.) — Presidente da FEB em 1920 e 1921 e de 1930 até a época da sua desencarnação, em 1943.

INÁCIO BITTENCOURT — Vice-Presidente da FEB, em 1915 e 1916, médium receitista (Desencarnou em 1943).

ORNELAS, Adolfo do Amaral — Secretário do *Reformador*, médium, dramaturgo e poeta de valor (Desencarnou em 1922).

PETITINGA, pseudônimo de José Florentino de Sena — Presidente da União Espírita Baiana. Poeta ilustre (Desencarnou em 1939).

ROSENBURG, Artur (Cel.) — Diretor da FEB por muitos anos (Desencarnou em 1930).

SAYÃO, Antonio Luiz (Dr.) — Diretor do "Grupo Ismael", escritor e evangelizador (Desencarnou em 1903).

SCHUTEL, Cairbar (Farmacêutico) — Abnegado espírita, escritor e jornalista (Desencarnou em 1938).

SEIXAS, Dom Romualdo Antonio de — Arcebispo de Salvador (BA), desencarnado em 1860. É um dos guias do "Grupo Ismael".

SPINOLA, Aristides (Dr.) — Presidente da FEB em 1914, 1916 e 1917, 1922 a 1924 (Desencarnou em 1925).

TOSTA, José Machado — Jornalista espírita, esforçado professor de Esperanto na FEB (Desencarnou em 1929).

ULISSES de Mendonça — Médium do "Grupo Ismael" (Desencarnou no estado de Mato Grosso).

VALE OWEN, Rev. G. — Vigário de Oxford, Lancashire, Inglaterra, médium que recebeu uma série de livros semelhantes aos de André Luiz (Desencarnou em 1931).

Índice geral[7]

Adversário
comportamento perante o – 19.2

Alcoólatra
obsessor e – 18.2

André Luiz
estágio com Chico Xavier – 1.4
prece de – 20.3

Ascenção espiritual
fixação no erro – 7.3

Aura
objeto material e – 4.3

Autoconhecimento
consciência e – 14.1
Auxílio espiritual
Espírito guia – 2.1

Ave
Mundo Espiritual e – 10.4

Bezerra de Menezes
condução de recém-
-desencarnados – 6.2

cooperação no desligamento – 3.4
Volitação de recém-
-desencarnados – 6.4
orientações de – 6.3
trabalho-amor e – 20.1

Bittencourt Sampaio
orientações a Jacob – 19.3
surgimento no Santuário – 16

Brasil
cristianização do mundo – 12.2

Cairbar Schutel
atividade em Matão (SP) – 12.1
morada – 12.1
visita – 12.1

Campo de imantação
recém-desencarnado – 6.2

Casa espírita
Leopoldo Cirne – 13.3
visão espiritual – 1.3

Chico Xavier
André Luiz estagia com – 1.4

---

[7] N.E.: Remete ao número do capítulo e da subseção.

Índice geral

Colônia espiritual
Guillon e Schutel – 12.3
patrimônio comum – 10.3
reencarnação – 11.1
santuário – 11.2
trabalho salvacionista – 11.2
universidade infantojuvenil – 11.1
urbanismo – 11.2

Comunicação
Espírito inferior e – 14.6

Consciência
autoconhecimento – 14.1
culpa – 14.1
queixas do passado – 16.1
tribunal – 10.1

Cultura religiosa
desencarnado – 9.2

Desalento
reação indébita – 16.3

Desencarnação
criança elevada – 11.1
cultura filosófica e religiosa – 9.2
desligamento final – 5.2
dificuldades – 6
Espírito Superior – 9.2
hibernação da consciência – 9.2
pensamentos e reflexões – 2.2
perturbação angustiante – 2.4
procedimento ideal – 3.2
reflexões antes da – 2.1
sintomas – 2.1; 2.2
substância prateada – 2.3
visão do cadáver após – 3.2

Desencarnado
continuidade na tarefa – 15.3
hibernação da consciência – 9.2
organização de malfeitores – 10.1

Desligamento
ajuda espiritual – 2.3; 3.4

conflito de identidade – 3.3
consciência plena após – 5.2
cooperação do passe – 3.2
dependência da vida mental – 5.2
fenômenos visuais – 3.4
fio prateado – 3.3
fluidos gravitantes – 3.4
necessidade de desapego – 3.4
resíduos fluídicos – 3.1
resultado da prece – 3.2
retorno à normalidade – 3.2
revisão mental do passado – 2.3
sintomas – 2.3

Elevação espiritual
conceito – 19.4

Encarnado
alcoólico – 13.2
companhia espiritual – 13.2
nuvem de testemunhas – 7.4
projeção mental – 7.1
viciado em morfina – 13.2

Energia fluídica
reunião mediúnica e – 1.4

Energia inferior
condensação de – 6.4

Ernesto Bozzano
comportamento dos
    moribundos – 2.3
Espiritismo evangélico
libertação da mente humana – 12.3

Espírito elevado
descanso – 9.2
desencarnação – 9.2
desencarnação quando criança – 11.1

Espírito endividado
auxílio aos semelhantes – 18.1

Espírito infantil
indígena – 11.1

Índice geral

livre-arbítrio – 11.1
missão – 11.1
orientadoras de – 11.1
preparo para a reencarnação – 11.1
recepção aos desencarnados – 8.2
universidade infantojuvenil – 11.2

Espírito inferior
contribuição – 17.3
desespero – 10.1
organização de malfeitores – 10.1
tarefas sacrificiais – 18.1

Espírito ocioso
assédio aos desencarnados – 6.2

Espírito perseguidor
modificação difícil – 20.2

Espírito Superior
cuidados com o intercâmbio – 12.2
Espírito inferior – 17.3

Evolução espiritual terrena
estatística – 17.4

Festival artístico
Mundo Espiritual – 10.2

Fio prateado
desligamento do – 3.3

Fixação no passado
dificuldade de ascensão – 7.3; 14.2

Funeral
condição do Espírito
presente no – 5.1
dardos mentais dos encarnados – 5.3
desilusão do desencarnado – 5.3
Espíritos menos simpáticos – 5.3
oração – 5.3

Guillon Ribeiro
atividades – 12.1

morada – 12.1
obstáculos ao intercâmbio – 12.2
visita – 12.1

Habitante da Terra
emanações mentais – 9.3
estatística espiritual – 9.3

Imperfeição
adversário – 18.4
amigo – 18.4

Intercâmbio mediúnico
combinação fluídico-
-magnética e – 1.1
dificuldades – 1.1
gasto de energia mental – 1.1
harmonia de equipe – 1.1
informação de Guillon – 12.2
interdependência – 1.1
regras – 19.4
telepatia – 1.1

Intercâmbio mental
encarnados e desencarnados – 5.3

Jacob
Bittencourt Sampaio – 19.3
caráter – 2.2
clérigos desencarnados – 19.2
confissão – 15.4
encontro com Thomas Edison – 14.4
enfrentamento dos seus erros – 19.1
identificado por Espíritos
inferiores – 13.4
luz própria – 19.2
Pedro Leopoldo (MG) – 1.4
obsessor – 18.3

Laço fluídico
rompimento – 4.4

Lar espiritual
decoração – 10.2

Índice geral

recursos culturais – 10.2

Lembranças do passado
prejuízos – 9.4

Leopoldo Cirne
aula de * aos Espíritos – 13.3

Levitação
oração – 7.4

Livre-arbítrio
mau uso – 17.3

Luz interior
pregação – 14

Médium
atração de forças variadas – 1.1
controle mental do obsessor – 18.2
projeção de energias – 1.1

Mente
função – 9.4

Morada espiritual
Jacob – 8.3; 8.4

Moribundo
Bozzano e o comportamento do – 2.3

Mundo Espiritual
adaptação do recém-
-desencarnado – 1.2
ambiente doméstico – 8.4
assembleia de meninos – 8.2
aves – 10.4
bem e mal – 7.1
cidades – 10.3
culpa – 7.3
dificuldades para quem o ignora – 5
emoções – 7.3
equipe de trabalho – 16.2
festivais artísticos – 10.2
moradia – 8.3; 8.4
parque de repouso – 10.3
ponte iluminada – 7.2; 7.3

propriedade – 10.3
recepção – 8.1
reencontros – 8.2; 8.3; 8.4
superior e renúncia – 12.3

Música
santuário – 15.2

Notícias do Além
prudência – 19.4

Objeto material
aura – 4.3

Obra universal
entendimento da alma – 20

Obsessor
diálogo com Jacob – 18.3
esclarecimentos de Guillon
Ribeiro – 13.4

Oceano
psiquismo humano – 6.4

Pensamento
poder – 5.2

Ponte
travessia – 7.4

Prece
André Luiz – 20.3
efeitos – 15.4

Pregação
luz interior – 14.1

Progresso espiritual
condicionamentos terrenos – 17.2
fixação no passado – 14.2

Projeção mental
encarnado – 7.1

Psicografia
dificuldades na – 1.1

Índice geral

estágio do Espírito com
  o médium – 1.4

Psiquismo humano
  oceano – 6.4

Recém-desencarnado
  alimentação – 9.1
  alteração no corpo perispiritual – 4.2
  assédio de Espíritos inferiores – 6.2
  aura dos objetos materiais – 4.3
  benefícios do mar – 4.1
  campo de imantação – 6.2
  cansaço e sono – 8.4
  flutuação condicional – 6.4
  fome – 9.1
  interesses humanos – 9.2
  irradiação luminosa – 6.3
  laço derradeiro – 3.4
  lembranças do passado – 9.4
  nova roupagem – 4.1
  permanência no plano material – 6.2
  preocupação com a roupa – 4.3
  primeira jornada – 6.2
  repouso – 9.2
  reunião – 6.2
  sensações físicas – 4.2
  sintonia espiritual – 11.4
  situações distintas – 5
  sonho invulgar – 9
  sono – 4.2
  torpor – 9.2
  traumatismo psíquico – 6.3
  vibrações marítimas – 3.4
  visão amplificada – 4.2
  visão diurna do Planeta – 6.4
  visão do plano terreno – 4.2
  visão noturna do Planeta – 6.4
  vísceras cadavéricas – 5.3
  visita ao ambiente de trabalho – 6.1
  visita ao lar – 6.1

Recomeço
  procedimentos – 17.1

Reencarnação
  criança elevada – 11.1
  impossibilidade – 18.1
  livre-arbítrio – 17.3
  remissão – 17.3

Renovação
  aperfeiçoamento – 13.3
  possibilidades interiores – 16.3
  violência aos interesses do "eu" – 17.2

Reunião mediúnica
  angústia dos desencarnados – 1.4
  comunicação negada – 1.4
  extração de energias fluídicas – 1.4
  organização e controle – 1.4
  Pedro Leopoldo (MG) – 1.4
  sintonia espiritual – 1.4
  visão espiritual – 1.4

Rio de Janeiro
  projeto de trabalho – 18.1
  volitação – 13.1
  Salmo 23
  Marta – 3.1

Santuário
  elevação espiritual e – 11.3
  entrada de recém-
    -desencarnados – 11.3
  esferas inferiores – 11.3
  fanatismo religioso – 11.3
  frequentadores – 11.3
  Jacob recepcionado no – 15.2
  materialização de Espíritos
    Superiores – 11.3
  música – 15.2
  prece – 15.4
  reencontro com amigos – 15.3
  surgimento de Bittencourt – 16
  vanguardeiros – 15.2

Segurança espiritual
  conquista de si mesmo – 6.3

Índice geral

Sepultamento
desencarnados no – 5.4

Ser superior
qualidades – 10.4

Sintonia espiritual
onda de ligação mental – 11.4
recém-desencarnado – 11.4

Sofrimento
benção salvadora – 17.3

Sol
vibrações psíquicas – 6.4

Sonho
recém-desencarnado e – 9

Sono
sonho invulgar – 9.2

Terra
atmosfera espiritual – 6.4
evolução espiritual – 17.4
visão diurna – 6.4
visão noturna – 6.4

Thomas Edison
encontro com Jacob – 14.4

Trabalho-amor
Bezerra de Menezes – 20.2

Traumatismo psíquico
recém-desencarnados – 6.3

Treva
rugidos – 7.4

Umbral
fronteira com a luz – 9.3
império dos dragões do mal – 7.1
limites – 7.1
ponte iluminada – 9.3
saída – 7.2

Velório
energias contraditórias – 4.4
sofrimento do desencarnado – 4.4

Viagem espiritual
comissões – 8.3
descrição – 14.2
estações – 8.3
Rio de Janeiro – 13.1
rotas espirituais – 13.1
volitação – 13.1

Viciado
aspecto espiritual – 13.2
aura – 13.2
desencarnação – 13.2

Visita a Jacob
Guillon Ribeiro e Cairbar Schutel – 12.1

Volitação
esclarecimento – 9.3
fenômeno – 7.1
paisagens e seres estranhos – 7.1
passado – 7.2
pavor – 7.2
plano terreno – 13.1

VOLTEI

EDIÇÃO	IMPRESSÃO	ANO	TIRAGEM	FORMATO
1	1	1949	15.000	12,5x18
2	1	1951	10.000	12,5x18
3	1	1962	5.000	12,5x18
4	1	1968	5.000	12,5x18
5	1	1972	10.000	12,5x18
6	1	1975	20.000	13x18
7	1	1979	10.000	13x18
8	1	1982	10.000	13x18
9	1	1984	10.000	13x18
10	1	1985	10.000	13x18
11	1	1986	10.000	13x18
14	1	1990	20.000	13x18
15	1	1991	9.000	13x18
16	1	1994	15.0000	13x18
17	1	1995	10.000	13x18
18	1	1997	10.000	13x18
19	1	1999	5.000	12,5x17,5
20	1	2000	10.000	12,5x17,5
21	1	2001	3.000	12,5x17,5
22	1	2001	3.000	12,5x17,5
23	1	2003	4.000	12,5x17,5
24	1	2005	3.000	12,5x17,5
25	1	2006	2.000	12,5x17,5
26	1	2007	1.000	12,5x17,5
27	1	2007	2.000	12,5x17,5
27	2	2008	1.000	12,5x17,5
28	1	2008	5.000	14x21
28	2	2009	3.000	14x21
28	3	2009	2.000	14x21
28	4	2010	6.000	14x21

VOLTEI

Edição	Impressão	Ano	Tiragem	Formato
28	5	2010	15.000	14x21
28	6	2013	5.000	14x21
28	7	2013	5.000	14x21
28	8	2014	2.000	14x21
28	9	2014	8.000	14x21
28	10	2016	5.000	14x21
28	11	2017	3.300	14x21
28	12	2017	4.500	14x21
28	13	2018	1.600	14x21
28	14	2018	1.800	14x21
28	15	2018	2.000	14x21
28	16	2019	1.600	14x21
28	17	2019	2.300	14x21
28	18	2020	3.500	14x21
28	19	2021	3.000	14x21
28	20	2022	4.500	14x21
28	21	2023	3.500	14x21
28	22	2024	3.000	14x21
28	23	2024	3.100	14x21

O QUE É ESPIRITISMO?

O ESPIRITISMO É UM CONJUNTO DE PRINCÍPIOS E LEIS revelados por Espíritos Superiores ao educador francês Allan Kardec, que compilou o material em cinco obras que ficariam conhecidas posteriormente como a Codificação: *O livro dos espíritos, O livro dos médiuns, O evangelho segundo o espiritismo, O céu e o inferno* e *A gênese*.

Como uma nova ciência, o Espiritismo veio apresentar à Humanidade, com provas indiscutíveis, a existência e a natureza do Mundo Espiritual, além de suas relações com o mundo físico. A partir dessas evidências, o Mundo Espiritual deixa de ser algo sobrenatural e passa a ser considerado como inesgotável força da Natureza, fonte viva de inúmeros fenômenos até hoje incompreendidos e, por esse motivo, são tidos como fantasiosos e extraordinários.

Jesus Cristo ressaltou a relação entre homem e Espírito por várias vezes durante sua jornada na Terra, e talvez alguns de seus ensinamentos pareçam incompreensíveis ou sejam erroneamente interpretados por não se perceber essa associação. O Espiritismo surge então como uma chave, que esclarece e explica as palavras do Mestre.

A Doutrina Espírita revela novos e profundos conceitos sobre Deus, o Universo, a Humanidade, os Espíritos e as leis que regem a vida. Ela merece ser estudada, analisada e praticada todos os dias de nossa existência, pois o seu valioso conteúdo servirá de grande impulso à nossa evolução.

O LIVRO ESPÍRITA

Cada livro edificante é porta libertadora.

O livro espírita, entretanto, emancipa a alma nos fundamentos da vida.

O livro científico livra da incultura; o livro espírita livra da crueldade, para que os louros intelectuais não se desregrem na delinquência.

O livro filosófico livra do preconceito; o livro espírita livra da divagação delirante, a fim de que a elucidação não se converta em palavras inúteis.

O livro piedoso livra do desespero; o livro espírita livra da superstição, para que a fé não se abastarde em fanatismo.

O livro jurídico livra da injustiça; o livro espírita livra da parcialidade, a fim de que o direito não se faça instrumento da opressão.

O livro técnico livra da insipiência; o livro espírita livra da vaidade, para que a especialização não seja manejada em prejuízo dos outros.

O livro de agricultura livra do primitivismo; o livro espírita livra da ambição desvairada, a fim de que o trabalho da gleba não se envileça.

O livro de regras sociais livra da rudeza de trato; o livro espírita livra da irresponsabilidade que, muitas vezes, transfigura o lar em atormentado reduto de sofrimento.

O livro de consolo livra da aflição; o livro espírita livra do êxtase inerte, para que o reconforto não se acomode em preguiça.

O livro de informações livra do atraso; o livro espírita livra do tempo perdido, a fim de que a hora vazia não nos arraste à queda em dívidas escabrosas.

Amparemos o livro respeitável, que é luz de hoje; no entanto, auxiliemos e divulguemos, quanto nos seja possível, o livro espírita, que é luz de hoje, amanhã e sempre.

O livro nobre livra da ignorância, mas o livro espírita livra da ignorância e livra do mal.

EMMANUEL[1]

---

1 Página recebida pelo médium Francisco Cândido Xavier, em reunião pública da Comunhão Espírita Cristã, na noite de 25/2/1963, em Uberaba (MG), e transcrita em *Reformador*, abr. 1963, p. 9.

LITERATURA ESPÍRITA

Em qualquer parte do mundo, é comum encontrar pessoas que se interessem por assuntos como imortalidade, comunicação com Espíritos, vida após a morte e reencarnação. A crescente popularidade desses temas pode ser avaliada com o sucesso de vários filmes, seriados, novelas e peças teatrais que incluem em seus roteiros conceitos ligados à espiritualidade e à alma.

Cada vez mais, a imprensa evidencia a literatura espírita, cujas obras impressionam até mesmo grandes veículos de comunicação devido ao seu grande número de vendas. O principal motivo pela busca dos filmes e livros do gênero é simples: o Espiritismo consegue responder, de forma clara, perguntas que pairam sobre a Humanidade desde o princípio dos tempos. Quem somos nós? De onde viemos? Para onde vamos?

A literatura espírita apresenta argumentos fundamentados na razão, que acabam atraindo leitores de todas as idades. Os textos são trabalhados com afinco, apresentam boas histórias e informações coerentes, pois se baseiam em fatos reais.

Os ensinamentos espíritas trazem a mensagem consoladora de que existe vida após a morte, e essa é uma das melhores notícias que podemos receber quando temos entes queridos que já não habitam mais a Terra. As conquistas e os aprendizados adquiridos em vida sempre farão parte do nosso futuro e prosseguirão de forma ininterrupta por toda a jornada pessoal de cada um.

Divulgar o Espiritismo por meio da literatura é a principal missão da FEB, que, há mais de cem anos, seleciona conteúdos doutrinários de qualidade para espalhar a palavra e o ideal do Cristo por todo o mundo, rumo ao caminho da felicidade e plenitude.

O EVANGELHO NO LAR

Quando o ensinamento do Mestre vibra entre quatro paredes de um templo doméstico, os pequeninos sacrifícios tecem a felicidade comum.[1]

Quando entendemos a importância do estudo do Evangelho de Jesus, como diretriz ao aprimoramento moral, compreendemos que o primeiro local para esse estudo e vivência de seus ensinos é o próprio lar.

É no reduto doméstico, assim como fazia Jesus, no lar que o acolhia, a casa de Pedro, que as primeiras lições do Evangelho devem ser lidas, sentidas e vivenciadas.

O espírita compreende que sua missão no mundo principia no reduto doméstico, em sua casa, por meio do estudo do Evangelho de Jesus no Lar.

Então, como fazer?

Converse com todos que residem com você sobre a importância desse estudo, para que, em família, possam compreender melhor os ensinamentos cristãos, a partir de um momento de união fraterna, que se desenvolverá de maneira harmônica e respeitosa. Explique que as reflexões conjuntas acerca do Evangelho permitirão manter o ambiente da casa espiritualmente saneado, por meio de sentimentos e pensamentos elevados, favorecendo a presença e a influência de Mensageiros do Bem; explique, também, que esse momento facilitará, em sua residência, a recepção do amparo espiritual, já que auxilia na manutenção de elevado padrão vibratório no ambiente e em cada um que ali vive.

Convide sua família, quem mora com você, para participar. Se mora sozinho, defina para você esse momento precioso de estudo e reflexões. Lembre-se de que, espiritualmente, sempre estamos acompanhados.

Escolha, na semana, um dia e horário em que todos possam estar presentes.

O tempo médio para a realização do Evangelho no Lar costuma ser de trinta minutos.

---

[1] XAVIER, Francisco Cândido. *Luz no lar*. Por Espíritos diversos. 12. ed., 7. imp. Brasília: FEB, 2018. Cap. 1.

As crianças são bem-vindas e, se houver visitantes em casa, eles também podem ser convidados a participar. Se não forem espíritas, apenas explique a eles a finalidade e importância daquele momento.

O seguinte roteiro pode ser utilizado como sugestão:

1. Preparação: Leitura de mensagem breve, sem comentários;
2. Início: Prece simples e espontânea;
3. Leitura: *O evangelho segundo o espiritismo* (um ou dois itens, por estudo, desde o prefácio);
4. Comentários: breves, com a participação dos presentes, evidenciando o ensino moral aplicado às situações do dia a dia;
5. Vibrações: pela fraternidade, paz e pelo equilíbrio entre os povos; pelos governantes; pela vivência do Evangelho de Jesus em todos os lares; pelo próprio lar...
6. Pedidos: por amigos, parentes, pessoas que estão necessitando de ajuda...
7. Encerramento: prece simples, sincera, agradecendo a Deus, a Jesus, aos amigos espirituais.

As seguintes obras podem ser utilizadas nesse momento tão especial:

- *O evangelho segundo o espiritismo*, como obra básica;
- *Caminho, verdade e vida; Pão nosso; Vinha de luz; Fonte viva; Agenda cristã.*

Esse momento no lar não se trata de reunião mediúnica e, portanto, qualquer ideia advinda pela via da intuição deve permanecer como comentário geral, a ser dito de maneira simples, no momento oportuno.

No estudo do Evangelho de Jesus no Lar, a fé e a perseverança são diretrizes ao aprimoramento moral de todos os envolvidos.

FEB editora
Livro espírita para um novo mundo
www.febeditora.com.br
@febeditoraoficial
@febeditora

Conselho Editorial:
Carlos Roberto Campetti
Cirne Ferreira de Araújo
Evandro Noleto Bezerra
Geraldo Campetti Sobrinho – Coord. Editorial
Jorge Godinho Barreto Nery – Presidente
Maria de Lourdes Pereira de Oliveira
Miriam Lúcia Herrera Masotti Dusi

Produção Editorial:
Elizabete de Jesus Moreira

Revisão:
Ana Luiza de Jesus Miranda

Capa:
Ingrid Saori Furuta

Projeto Gráfico e Diagramação:
Bruno Reis

Foto de Capa:
http://www.istock.com/ dtokar

Normalização Técnica:
Biblioteca de Obras Raras e Documentos Patrimoniais do Livro

Esta edição foi impressa pela Gráfica e Editora Qualytá Ltda., Brasília, DF, com tiragem de 3,1 mil exemplares, todos em formato fechado de 140x210 mm e com mancha de 104x170 mm. Os papéis utilizados foram o Off white Bulk 58 g/m² para o miolo e o Cartão 250 g/m² para a capa. O texto principal foi composto em fonte Adobe Garamond Pro 12,5/15 e os títulos em Adobe Garamond Pro 28/30. Impresso no Brasil. *Presita en Brazilo.*